Téléphoner en anglais

La version sonore de cet ouvrage est vendue exclusivement dans un coffret : livre + cassette (réf. 8551).

Langues pour tous

Collection dirigée par Jean-Pierre Berman, Michel Marcheteau et Michel Savio

ANGLAIS
Langue de spécialité

☐ **Langue des affaires**

Débuter en anglais commercial
L'anglais économique et commercial
Vendre en anglais
Négocier en anglais
Exporter en anglais
Dictionnaire de l'anglais économique, commercial et financier
Téléphoner en anglais
Correspondance commerciale en anglais (GB/US)
Mille phrases commerciales
Score commercial GB/US (100 tests)
Rédigez votre CV en anglais
L'anglais du tourisme, de l'hôtellerie et de la restauration
Dictionnaire de l'anglais des métiers du tourisme
L'anglais juridique
L'anglais de l'assurance
L'anglais du marketing et de la publicité

☐ **Série lexique**

Lexique bilingue de l'anglais juridique
Lexique bilingue de la bureautique
Lexique bilingue du commerce international
Lexique bilingue de la comptabilité et de la finance
Lexique bilingue des techniques de commercialisation

☐ **Sciences et techniques**

Dictionnaire de l'anglais de l'informatique

☐ **Médias**

Dictionnaire de l'anglais des médias et du multimédia
Comprendre l'anglais de la radio et de la télévision (US/GB)

= Existence d'un ensemble : Livre + disquette
= Existence d'un coffret : Livre + K7
Attention ! Les cassettes et les disquettes ne peuvent être vendues séparément du livre.

Langues pour tous

Collection dirigée par
Jean-Pierre Berman, Michel Marcheteau et Michel Savio

Téléphoner en anglais

par

Marie-Claude ROLAND
Agrégée d'anglais

et

Martha MAST-GRAND
B.A. in Education

POCKET

Sommaire

Contents

Marie-Claude ROLAND, professeur agrégé d'anglais, enseigne à l'École nationale supérieure des ingénieurs électriciens de Grenoble où elle est également chargée de la Communication et déléguée aux Relations internationales.

Martha MAST-GRAND, Bachelor of Arts in Education, enseigne à l'École nationale supérieure des ingénieurs électriciens de Grenoble où elle est responsable du Service langues.

ISBN 2-266-08540-9

Présentation

Ce livre est destiné à tous ceux que la perspective d'avoir à faire ou à recevoir un appel téléphonique en anglais inquiète. Nous avons essayé de dédramatiser la conversation téléphonique avec un interlocuteur anglophone en montrant qu'une pratique et un entraînement méthodiques permettent d'acquérir la confiance en soi nécessaire pour faire face à cette situation et en triompher.

Sauf pour des situations à caractère typiquement britannique, la langue utilisée est l'**anglais des Américains**. L'orthographe et la prononciation de certains termes diffèrent de celles pratiquées en Grande-Bretagne. Le tableau suivant vous donne les principales différences d'orthographe. Des différences en ce qui concerne l'usage sont indiquées dans le lexique (GB/US). Mention est également faite des usages *familiers* **(informal)**.

	British English	US English	Français
our / or	col**our** behavi**our**	col**or** behavi**or**	*couleur* *attitude*
en / in	**en**quire **en**sure	**in**quire **in**sure	*demander* *assurer*
re / er	cent**re** met**re**	cent**er** met**er**	*centre* *mètre*
ce / se	defen**ce** driving licen**ce**	defen**se** driver's licen**se**	*défense* *permis de conduire*
ise / ize	apolog**ise** visual**ise**	apolog**ize** visual**ize**	*s'excuser* *visualiser*
xion / ction	conne**xion**	conne**ction**	*liaison*
double / single consonant	leve**ll**ed dia**ll**ed progra**mme**	leve**l**ed dia**l**ed progra**m**	*aplanir* *faire un numéro* *programme*

Conseils d'utilisation - *How to use this book*

• ***Téléphoner en anglais*** comporte 10 chapitres où vous trouverez des présentations de situations générales (règles de politesse, comment téléphoner de Grande-Bretagne ou des États-Unis, etc.) et des modèles concrets de phrases et de conversations provenant tout droit de situations authentiques.

• Le lecteur pourra, en passant d'un chapitre à l'autre, à la fois se renforcer linguistiquement et s'armer « techniquement », de façon à pouvoir être, en fin de parcours, opérationnel au téléphone.

[●●] Complément naturel de cet ouvrage, un enregistrement (1 K7) a été réalisé en son numérique avec des voix de comédiens américains et britanniques.

Vous y trouverez une sélection d'extraits encadrés des chapitres [2], [3], [4], [5], [8], [9] et [10], signalés en début et en fin par le symbole [●●].

Cet enregistrement vous aidera à vous entraîner à la compréhension et à l'expression au téléphone.

Conseils :

• *Entraînement à la compréhension*

1. Écoutez la cassette sans le livre.
2. Réécoutez la cassette avec le livre pour vérifier le sens de ce que vous venez d'entendre.
3. Entraînez-vous à écouter et à comprendre les conversations des chapitres [3], [5], et [9].
   Essayez de remplir les grilles de réponses du chapitre [5].

• *Entraînement à l'expression*

1. Écoutez la cassette sans le livre.
2. Réécoutez la cassette avec le livre pour vérifier le sens de ce que vous venez d'écouter.
3. En utilisant la *touche pause* de votre magnétophone ou de votre walkman, entraînez-vous à répéter les modèles de phrases des chapitres [2] (épeler, chiffres, dates), [3] et [4] (étapes de la conversation), [8] et [9] (conversation), [10] exercices.

→ Utilisez votre livre dans un premier temps, puis progressivement entraînez-vous à vous en passer.

QUELQUES RÈGLES DE COMMUNICATION

TELEPHONE ETIQUETTE

1 Quelques règles de communication

Notre premier et parfois seul contact avec une entreprise, un client potentiel, un collaborateur, passe souvent par le téléphone. De l'image que nous donnons de nous-même à travers une conversation téléphonique peut dépendre le succès d'une relation d'affaires ou la perte d'un marché. Il est donc capital de donner de nous-même l'image d'une personne courtoise et efficace. Cela est plus facile à dire qu'à faire ! Il est plus facile en effet de se montrer aimable et plein d'allant en face de quelqu'un. Le téléphone nous rend plus réservé, voire froid. Ou bien la panique nous saisit (d'autant plus que la personne au bout du fil parle anglais !) et nous nous mettons à marmonner, à bégayer et nos propos deviennent vite de moins en moins clairs.

Comment vaincre l'angoisse du téléphone ?

• Souriez au téléphone. Cela peut vous paraître stupide, mais ça marche. Un sourire « s'entend » dans votre voix. Vous vous détendez en parlant ; il est en effet quasiment impossible d'être agressif quand on sourit.

• Soyez courtois. Ponctuez vos phrases de « please » et de « thank you », qui aideront à calmer votre interlocuteur. Il est difficile d'être en colère avec quelqu'un de si poli ! Nous avons tendance à nous montrer polis envers les gens polis. Par exemple, vous vous montrez plus accueillant avec votre interlocuteur si vous le saluez d'un « good morning » au lieu d'un simple « hello » (voir chap. 3, 1).

• Prenez une voix amicale et agréable. Parlez clairement et distinctement, en mettant l'accent sur les mots importants. Modulez le volume de votre voix. Si la personne au bout du fil a du mal à vous comprendre, ne hurlez pas. Cela ne fera qu'aggraver la situation !

• Évitez de faire patienter votre interlocuteur trop longtemps au bout du fil. Si vous devez le mettre en attente, reprenez la ligne régulièrement. (Voir « Vous devez maintenir le contact », cas particuliers 4, chap. 8.)

1 Telephone etiquette

The telephone is often our first — and sometimes only — contact with a company, potential client, collaborator, etc. The image we project on the phone may make the difference between a successful business relationship and business lost. It is essential then to project a courteous, efficient image. This is easier said than done. It's easier to be cordial and expressive when talking to someone face to face. The telephone tends to make us more reserved, perhaps even cold. Or we give in to telephone panic (the person on the other end is speaking English !), begin to mumble, stutter and lose all notions of clarity.

How can we take the stress out of the telephone ?

• Smile at the phone. It may sound silly, but it works. A smile is reflected in your voice. You become less tense ; it's almost impossible to be aggressive when smiling.

• Be courteous. "Please" and "Thank you" go a long way towards soothing the person at the other end of the line. It's hard to be irate at a polite voice. We tend to be polite to polite people. For example, "Good morning" gives a better welcome than a simple "Hello" (cf. chapter 3, 1).

• Use a friendly, pleasant tone of voice. Speak clearly and distinctly, emphasizing important words. Modulate your volume. If the person at the other end of the line has trouble understanding you, don't shout. It will only cause even more distortion.

• Avoid putting someone on hold for long periods. If you must leave the line, get back to your caller regularly. (Cf. « Keeping the line alive », special cases, chapter 8.)

1 Quelques règles de communication

• Entraînez-vous. La perfection s'atteint à force de pratique. Si vous avez appris quelques expressions clés, vous pourrez vaincre l'angoisse du coup de fil et tout se passera bien. Tout comme pour une lettre d'affaires, le début et la fin d'une conversation suivent un modèle. Une fois que vous vous en serez rendu compte, vous serez en mesure d'anticiper l'étape suivante et de l'orienter. Vous n'avez que peu de temps au téléphone pour réfléchir et vous devez fournir des réponses rapidement. Dans les chapitre 2 et 5, de nombreux exercices vous sont proposés pour développer vos réflexes. Ils comportent un entraînement à l'écoute, à la prise de messages, vous offrent l'occasion d'épeler des mots, de prononcer chiffres, dates et heures. Vous pourrez également vous entraîner à reconnaître différents types de questions et à formuler vous-même des questions. C'est par la pratique que vous arriverez à éviter confusion et malentendus. Votre confiance en vous-même grandira et, à la fin d'une conversation téléphonique, le plus souvent, vous vous sentirez satisfait plutôt que frustré.

• Soyez efficace. Préparez votre appel. Si nécessaire, notez sur une feuille de papier les idées essentielles que vous voulez développer au cours de la conversation. De cette façon, vous traiterez vos affaires avec efficacité, et vous obtiendrez l'aide ou les réponses que vous souhaitez rapidement. Nous avons tous horreur d'avoir l'impression de perdre notre temps au téléphone. En préparant votre appel, vous éviterez de mettre la patience de votre interlocuteur à dure épreuve. Vous devez savoir à l'avance les questions précises que vous allez poser et comment les formuler avec clarté. Vous devez être capable de citer sans hésitation les chiffres et les noms dont vous avez besoin.

Être efficace dans une langue étrangère nécessite un supplément d'attention. Si vous êtes distrait ou inattentif, les conséquences seront plus lourdes si la conversation a lieu dans une langue étrangère. Il s'ensuivra des répétitions inutiles et des malentendus qui laissent les interlocuteurs insatisfaits.

1 Telephone etiquette

• Be prepared. Practice makes perfect. If you've learned a few key phrases, you can fight telephone panic and make the call go smoothly. Just as for a business letter, the beginning and the end of a telephone conversation follow a pattern. Once you've realized this, you'll be able to anticipate or orientate the next step. The telephone leaves little time for reflexion and demands quick answers. Chapters 2 and 5 contain numerous exercises providing the practice that is essential to the development of telephone reflexes. The exercises cover listening skills, message taking, and spelling, numbers, dates and times. Extensive practice is also provided for recognizing types of questions and formulating your own questions. Through practice, you will be able to avoid many misunderstandings and much confusion. You'll feel more confident, and when you're finished with your phone calls, you'll be left more often with a feeling of satisfaction rather than regret.

• Be efficient. Plan ahead. If necessary, note down the essential elements of the call you intend to make. That way, you'll be sure to state your business efficiently, and you'll get the appropriate help or response rapidly. We all hate the feeling that our time is being wasted on the phone. By planning ahead, you'll avoid trying the patience of someone else. You should know ahead of time the precise questions you want to ask and how to formulate them clearly. You should be able to pronounce the numbers and names you need to use.

Being efficient in a foreign language requires extra attention. Distractions and inattentiveness have more drastic consequences in a foreign language, causing unnecessary repetitions and misunderstood messages which make both parties feel frustrated.

1 Quelques règles de communication

• Si vous connaissez le nom de votre interlocuteur, n'oubliez pas de le mentionner une ou deux fois au cours de la conversation. Si vous appelez M. Davis par son nom, il se sentira le bienvenu et aura l'impression d'avoir toute votre considération. Vous direz par exemple : « Votre rendez-vous est fixé à jeudi 16 heures, monsieur Davis. » Mais n'exagérez pas. Ponctuer chaque phrase du nom de la personne donnerait un ton artificiel à vos paroles. Si vous ignorez le nom de votre interlocuteur, utilisez « Sir » pour un homme. Dites par exemple : « One moment, sir ». N'utilisez jamais « Mister » seul : vous donneriez l'impression d'être vulgaire. Pour une femme, utilisez toujours « Ma'am » ou « Madam », comme dans « Thank you for holding, Ma'am. » N'utilisez jamais « Mrs » seul. « Mr, Mrs, Ms » doivent toujours être accompagnés du nom de famille de la personne concernée. (Vous pourrez parfois entendre « Miss » utilisé seul, mais cet usage est presque exclusivement réservé pour appeler une jeune serveuse ou une jeune employée dans un restaurant ou dans une boutique.)

Indiquez clairement qui vous êtes. Un Anglo-Saxon aura la plupart du temps du mal à se représenter et à retenir un nom français. Prononcez votre nom plus lentement en anglais que vous ne le feriez en français, en détachant les syllabes. La même remarque vaut pour le nom de votre société ou organisme.

• Un dernier mot à propos de la courtoisie en anglais : cela va au-delà du simple usage de « please » et « thank you ». En parcourant ce livre, n'oubliez pas de noter les différentes formes de politesse utilisées en anglais. Elles se trouvent le plus souvent en début de phrase quand vous souhaitez obtenir quelque chose de votre interlocuteur. Par exemple, une expression comme « I'd like (some information on...) » ou bien « I'd like (to speak to...) » sera plus polie qu'un simple « I want ». Des expressions comme « Would you please... » ou « Could you... » enlèvent de l'agressivité à votre demande. Quant à « May I.. », « Could I... » et « Would it be possible to... », ils donnent à votre interlocuteur l'impression que vous lui demandez la permission de faire quelque chose et non que vous exigez quelque chose que vous considérez comme votre droit. À nouveau, la personne à l'autre bout du fil se montrera plus disposée à accéder à votre demande si elle est formulée avec politesse.

1 Telephone etiquette

• If you know it, use the caller's name once or twice in the conversation. If he hears his name used, Mr Davis will not only feel welcome, he'll also feel as if he's getting personalized service. Example : "Your appointment is set for Thursday at 4:00, Mr Davis." But don't overdo it. It sounds artificial to use someone's name at the end of every sentence. If you don't know the caller's name, use "Sir" for a man — as in "One moment, sir." Never use "Mister" by itself : it's vulgar. For a woman, always use "Ma'am" or "Madam" — as in "Thank you for holding, Ma'am." Never use "Mrs" by itself. "Mr, Mrs, and Ms" should always be accompanied by a last name. You may sometimes hear "Miss" used alone, but it's almost always in a restaurant or shop. It's used to get the attention of a young waitress or sales clerk.

State your own name clearly. An English speaker will probably have problems visualizing and retaining a French name. Pronounce your name more slowly in English than you would in French, pronouncing each syllable clearly. The same goes for the name of your company or organization.

• One more word about courtesy in English : it goes beyond "please" and "thank you". Throughout the book, be attentive to the variety of forms used in English to show politeness. These forms are often found at the beginning of a sentence when you want to obtain something. "I'd like (some information on...)" or "I'd like to (speak to...)" is more polite than "I want". "Would you please..." or "Could you..." moderate the aggressiveness of a request. "May I...", "Could I...", and "Would it be possible to..." signify that you are asking for permission to do something rather than demanding what you consider to be a right. Again, the person at the other end of the line will be more inclined to comply with your request when it's formulated this way.

2

MÉCANISMES À ACQUÉRIR ET À DÉVELOPPER

DEVELOPING GOOD TELEPHONE REFLEXES

1 Reconnaître le type de message
Identifying the type of message

2 Modèles
Models

A) Épeler des mots
Spelling out words

B) Les chiffres
Numbers

C) Heures et dates
Times and dates

3 Entraînement
Practice

Nous vous proposons un entraînement à la compréhension d'un message oral et à la prise de notes.

Il va s'agir dans un premier temps d'**identifier** le type de message que l'on entend.

Puis de **repérer** différents éléments constitutifs du message qui souvent bloquent la compréhension. Ici, l'entraînement est orienté afin d'éviter la panique et de rassurer.

En d'autres termes, il s'agit de vous préparer à recevoir certains types d'information, notamment les noms de personnes, de lieux, les chiffres et les dates.

We propose here practice in understanding a message and taking notes.

First, practice is given in ***identifying*** *the type of message.*

Then, practice is provided to identify the essential elements that make up a message. This practice is intended to reassure you and to help avoid the onset of "telephone panic" that so often blocks comprehension.

In other words, you'll be ready and able to understand specific information like names, places, numbers, dates.

2 Mécanismes à acquérir

1. Reconnaître le type de message

Il s'agit ici de développer sa capacité personnelle d'écoute : en effet, une écoute attentive permettra d'abord d'**identifier** le type de message. Il peut s'agir :

— d'une déclaration ou d'une affirmation ;

— d'une question qui peut être ouverte ou fermée.

Comment procéder ?

A) Repérer l'intonation générale de la phrase.

L'intonation générale sera **descendante** dans les cas suivants :

— déclarations, affirmations, réponses :
Je sais. / Oui, probablement. / Parce que je ne puis l'affirmer. / La réunion est prévue à 15 heures.

— exclamations :
Formidable ! / Bizarre ! / C'est impossible !

— ordres, avertissements, recommandations :
Ne quittez pas. / Merci d'appeler M. Johnson. / N'oubliez pas d'envoyer la commande directement au bureau central.

— questions commençant par un mot interrogatif :
Où l'avez-vous envoyé ? / Qui vous a appelé ? / Quand arrivez-vous ?

L'intonation générale sera par contre **montante** dans le cas suivant :

— questions sans mots interrogatifs :
Avez-vous envoyé la commande ? / Puis-je vous aider ? / Avez-vous appelé notre service des ventes ?

2 Developing good telephone reflexes

1. Identifying the type of message

The idea is to improve your listening capacity. Through attentive listening, you'll be able to **identify** the type of message :

— a statement ;

— an open or closed question.

How ?

A) Through the general intonation of the sentence.

The intonation **goes down** in the following cases :

— statements, affirmations, answers :
I know. / Yes, probably. / Because I don't know for sure. / The meeting is scheduled for 3 o'clock.

— exclamations :
Wonderful ! / How strange ! / That's impossible !

— orders, warnings, suggestions :
Hold on. / Please call Mr Johnson. / Remember to send the order directly to the main office.

— questions beginning with a question-word :
Where did you send it ? / Who called you ? / When are you arriving ?

The general intonation of the sentence **rises** in the following case :

— questions without a question-word :
Did you send the order ? / Can I help you ? / Have you called our Sales Department ?

B) Analyser le type de question : « ouverte » ou « fermée ».

La question « ouverte » est utilisée pour obtenir une information, une explication ; elle ouvre en général une discussion. Elle commencera par l'un des mots suivants : **combien, que, quand, qui, où, pourquoi**.

— **Combien de fois** cela s'est-il produit ?
— **Combien** avez-vous dépensé ?
— **Combien de temps** avez-vous mis à trouver la solution ?
— **Quelle taille** fait le paquet que vous souhaitez envoyer ?
— **Qu'**avez-vous essayé de faire ?
— **Qu'**allez-vous acheter ?
— **Que** souhaitez-vous commander ?
— **Quel** est le nom de cette société ?
Comment s'appelle cette société ?
— **À quelle heure** est l'avion ?
— **Quel genre** d'article souhaitez-vous commander ?
— **Quel type** de chambre voulez-vous réserver ?
— **Quand** pensez-vous arriver ?
— **Quand** a lieu la prochaine réunion ?
— **Quand** est-ce que l'avion arrive ?
— **Qui** assistera à la réunion ?
— **Qui** vient avec vous ?
— **Qui** est responsable du service des ventes ?
— **Où** avez-vous laissé la voiture ?
— **Où** avez-vous l'intention d'aller ?
— **Pourquoi** ne pas me l'avoir dit plus tôt ?
— **Pourquoi** êtes-vous si en retard ?

La question « fermée » n'appelle en général qu'une réponse par **oui** ou par **non**. L'auxiliaire est généralement placé en tête de la phrase et il y a bien sûr inversion. L'ordre des mots est le plus souvent : auxiliaire-sujet-verbe.

— Êtes-vous allé à la réunion ?
— Pensez-vous assister à la prochaine conférence ?
— Souhaitez-vous réserver ?
— Avez-vous déjà loué votre place ?
— Cela vous ennuierait-il de m'envoyer une copie de la commande ?
— Pouvez-vous patienter ?
— Puis-je faire quelque chose d'autre pour vous ?

B) Determine the type of question : 'open' or 'closed'.

The 'open' question is used to obtain information or an explanation ; it often leads to a discussion. It begins with one of the following words : **how, what, when, who, where, why**.

— **How often** did that happen ?
— **How much** did you spend ?
— **How long** did it take you to find the solution ?
— **How big** is the parcel you want to send ?
— **What** did you try to do ?
— **What** are you going to buy ?
— **What** would you like to order ?
— **What** is the name of that firm ?

— **What time** does the plane leave ?
— **What type** of article would you like to order ?
— **What kind** of room would you like to reserve ?
— **When** will you be arriving ?
— **When** is the next meeting scheduled ?
— **When** is the plane arriving ?
— **Who** will be attending the meeting ?
— **Who** is coming with you ?
— **Who** is in charge of the sales department ?
— **Where** did you leave the car ?
— **Where** do you plan to go ?
— **Why** didn't you tell me before ?
— **Why** are you so late ?

The 'closed' question can be answered by **yes** or **no**. It begins with one of the following words : **do, does, did, can, could, have, has, had, are, is, will, would.**

— **Did** you go to the meeting ?
— **Will** you attend the next conference ?
— **Do** you want to make a reservation ?
— **Have** you already booked your ticket ?
— **Would** you mind sending me a copy of the order ?

— **Can** you hold on ?
— **Is** there anything else I can do for you ?

Les exemples suivants sont donnés comme modèles pour épeler des mots, donner chiffres, heures et dates.

Écoutez attentivement ces exemples. Remarquez la prononciation des **lettres**, des **chiffres** mais aussi **l'accentuation, l'intonation** et les **pauses**.

Un texte écrit peut être compris facilement grâce à la présence de la ponctuation et des majuscules : ces signes (virgules, points, tirets, etc.) évitent en effet équivoques et pertes de temps. Ils séparent les idées ou les faits, permettent de détacher un élément particulier d'information. Ils informent sur la structure du texte écrit. À l'oral, ces signes devront se traduire par **des coupes et des nuances que la voix devra marquer.**

A) Épeler des mots

Remarquez comment la personne annonce à son interlocuteur qu'elle va épeler le mot qu'elle vient de prononcer. Elle a recours aux expressions suivantes : **j'épelle, son nom s'écrit, ça s'écrit, je vous l'épelle.**

— Je m'appelle Neese. J'épelle : N-E-E-S-E.
— Contactez le Dr Harley. J'épelle : H-A-R-L-E-Y.
— Mme Eggers s'occupe du service correspondance. Son nom s'écrit : : E-G-G-E-R-S.
— Ici John Jahnke. J'épelle : J-A-H-N-K-E.
— Vous rencontrerez une personne de la société Aacton. Aacton s'écrit deux A-C-T-O-N.
— C'est la société Wintz qui est maintenant chargée des préparatifs. Je vous épelle leur nom : W-I-N-T-Z et Cie.
— Notre siège social se trouve rue Tehl. J'épelle : T-E-H-L.
— Tous les vols partent du hall Y.
— Pour les visites en groupe, rassemblement porte J.
— Sortir de la voie express direction E Street.

The following are models for spelling, numbers, time and dates.

Listen carefully to the examples. Pay attention to the **letters**, the **numbers**, but also to the **accentuation**, the **intonation**, and the **blanks**.

The use of punctuation and capitalization makes a written text easy to understand. It helps eliminate ambiguities and wasted time. Commas, periods, dashes, etc., are used to separate ideas or facts or to highlight a particular element of information. They give information on the structure of the text. The **voice** transforms these signs into **pauses** and **nuances in oral speech.**

A) Spelling out words

Notice how the person indicates he will be spelling the name he has just pronounced. He uses : **that's, (her) name's spelled, that's spelled, I'll spell that for you.**

— My name is Neese. That's N-E-E-S-E.
— Contact Dr. Harley. That's H-A-R-L-E-Y.
— Mrs Eggers handles our mailing service. Her name is spelled E-G-G-E-R-S.
— I'm John Jahnke. That's J-A-H-N-K-E.
— You'll be meeting with someone from the Aacton Company. Aacton is spelled double A-C-T-O-N.
— Wintz and Co. are now taking care of the arrangements. I'll spell that for you : W-I-N-T-Z and Co.
— Our main office is located on Tehl Street. That's T-E-H-L.
— All flights leave from the Y concourse.
— All group visits begin at Gate J.
— Take the E Street exit off the freeway.

Le chiffre 0 se lit le plus souvent en anglais comme la lettre O (phonétiquement : [əʊ]. Ex. : 102 = **one O two**. S'il y a risque de confusion ou de mauvaise compréhension, n'hésitez pas à utiliser « zéro » (phonétiquement : [ziːrəʊ]. Ex. : 102 = **one zero two**. Un chiffre (tout comme une lettre) redoublé peut se lire « double... ». Ex. : 2155 = **two one five five** ou bien **two one double five**.

— Votre numéro de vol est le SC 591.
— Le numéro de ma carte de crédit est le 4682 689 55 43.
— Prière d'adresser votre correspondance à :
  P.O. Box 385
  San Francisco
  Ca. 39254
— Vous pouvez joindre M. Evans au 291-0283.
— Ce numéro de référence est le CY 66351.
— Le numéro de ce modèle a changé. Il est maintenant référencé sous le numéro 398 22 41-B.
— Le droit d'inscription est de 40 dollars.
— Le prix est de 69,50 dollars la nuit.
— Pour tout achat en nombre (plus de 100), le prix est de 19,95 dollars seulement.
— Pour obtenir des informations concernant les événements du mois, appuyer sur la touche 9.
— Nos tarifs s'élèvent à 33 dollars par jour ou 175 dollars par semaine.
— La réunion aura lieu salle B 627. Elle se trouve dans l'aile B, au sixième étage.

Notice that the number '0' is generally pronounced like the letter 'O', in phonetics [əʊ]. Ex.: 102 = one **O** two. If you're afraid you haven't been clear, do not hesitate to use 'zero', phonetically : [zi:rəʊ]. Ex.: 102 = one zero two. When doubled, a figure can be read 'double...'. Ex.: 2155 = two one five five *or* two one double five.

— Your flight number is SC 591.
— My credit card number is 4682 689 55 43.

— All mail should be addressed to
P.O. Box 385
San Francisco
Ca. 39254
— Mr Evans can be reached at 291-0283.
— That reference number is CY 66351.
— That model has changed numbers. It is now listed under 398 22 41-B.
— Registration fees are $40.
— The price is $69.50 per night.
— For any purchase over 100, the cost is only $19.95.
— For information on this month's events, use touch 9.
— Our rates are $33 per day or $175 per week.

— We'll be meeting in room B 627. That's in wing B on the sixth floor.

a.m. - p.m.

a.m. (ante meridiem) = le matin, de minuit à midi.
p.m. (post meridiem) = l'après-midi, de midi à minuit.

Dans les pays anglo-saxons, référence est faite aux vingt-quatre heures de l'horloge en général uniquement dans le cas des horaires militaires ou des horaires imprimés tels que chemin de fer, avions, etc. En anglais parlé, on utilisera **a.m.** ou **p.m.** s'il y a risque de confusion.

Exemple : Votre avion par à 7 heures du matin (et non pas à 7 heures du soir).

Si le contexte est suffisamment précis et ne prête pas à ambiguïté, il n'est pas nécessaire d'avoir recours à l'utilisation de **a.m.** ou de **p.m.**

Exemples : Le docteur vous recevra à 5 heures. (Le français dirait à 17 heures. Mais on n'imagine pas un docteur donnant des rendez-vous si tôt le matin !).

Rendez-vous donc à 7 heures pour dîner. (Le français dirait à 19 heures. Ici encore le contexte ne laisse place à aucune ambiguïté.)

Date

En anglais britannique, la date s'écrit : 26 August ou 26th August ou encore August 26. On la lit : the twenty-sixth of August ou bien August the twenty-sixth.

Aux États-Unis, lorsqu'on écrit une date, on commence par le mois, suivi du jour : August 26. En américain parlé, la date du jour est donnée avec un nombre ordinal : August twenty-sixth.

— Votre vol part le matin à 9 h 52.
— M. MacMillan ne pourra vous recevoir avant 15 heures.
— Cette offre est valable jusqu'au 25 août.
— L'exposition aura lieu du 8 mars au 13 juillet.
— La seule possibilité est le 6 mai, à 10 h 30.
— Toutes les communications doivent nous parvenir avant le 21 février.
— La date limite est le jeudi 2 juin.
— Votre rendez-vous est fixé au mercredi 3 avril, à 19 heures.
— Nous nous réunirons le mardi 15 août à 11 heures.
— Merci de noter le changement d'horaire. Le vol TP 62 partira à 15 h 47.

2 Developing good telephone reflexes

2. Models — C) Time and dates

a.m. - p.m.

a.m. (ante meridiem) = in the morning from midnight to noon.

p.m. (post meridiem) = in the afternoon from noon to midnight.

In English-speaking countries, the 24-hour clock is generally limited to the military or printed schedules (train, planes, etc.). In spoken English, **a.m.** or **p.m.** is used only if there is a risk of confusion.

Example : Your plane leaves at 7:00 a.m. (and not at 7:00 in the evening).

If the notion of a.m./p.m. is given by the context, you don't need to use it.

Examples : The doctor will see you at 5:00.
We'll be meeting for dinner at 7:00.

Date

In British English, the date is written : 26 August or 26th August or August 26. It is read : the twenty-sixth of August or August the twenty-sixth.

In American English, the date is written month, day : August 26. In speaking, the days is read as an ordinal number : August twenty-sixth.

— Your flight leaves at 9:52 a.m.
— Dr. MacMillan will not be able to see you until after 3:00.
— This offer is available until August 25.
— The show will be running from March 8 until July 13.
— The only possible time is on May 6, at 10:30.
— All papers must be received by February 21.

— The deadline is Thursday, June 2.
— Your appointment is set for Wednesday, April 3, at 7:00 p.m.
— We'll be meeting on Tuesday, August 15, at 11.
— Please note the change in schedule. Flight TP 62 now leaves at 3:47.

Mécanismes à acquérir

2. Entraînement

Entraînez-vous maintenant à épeler des mots et à manier avec aisance chiffres et numéros.

A) Vous devez pouvoir **épeler** votre nom, le nom de votre société ou de votre laboratoire et donner votre adresse sans bafouiller. Vous devez vous montrer capable en fait d'épeler correctement n'importe quel mot. Cependant, entraînez-vous d'abord à épeler les termes proposés ci-dessous. Nous vous conseillons d'utiliser dans la mesure du possible vos propres nom et adresse, le nom et l'adresse de votre société.

— votre nom	: Je m'appelle (Pierre Dupont).
— celui de votre société	: (Dubois) Électronique
— celui de votre associé	: (Paul Durand) prendra contact avec vous.
— le nom de votre rue	: Nous nous trouvons (sur les Champs-Élysées).

B) Il est indispensable que vous donniez **nombres et chiffres** avec clarté et précision à vos correspondants. Entraînez-vous en utilisant votre adresse et vos numéros de téléphone personnels.

— l'adresse postale de votre société	: B.P. 76, 54321 Nancy Cedex
— l'adresse de votre société	: 15, avenue des Marronniers 38100 Grenoble
(Connaissez-vous l'orthographe de « Marronniers » ?)	
— votre numéro de téléphone personnel (N'oubliez pas de marquer une courte pause entre chaque groupe de chiffres.)	: 29 54 92 10
— votre n° de téléphone au bureau	: 44 32 66 19
— votre numéro de poste	: 39 33
— votre numéro de vol	: IF 950
— le n° de votre carte de crédit	: 5795 0004 6223 4932
— un numéro de référence	: BX 577 8080
— un numéro de modèle	: 988 0265 D
— un prix	: FF 395 FF 9 822 FF 125,50 chaque pour une commande de 10 articles ou plus.

Now practice spelling words and giving numbers and figures without hesitating.

A) Practice spelling

You should be capable of **spelling** anything, but the following items are especially important. For each case below, you should practice using your own name and address, your company's name and address.

— your name	:	I'm (Pierre Dupont).
— your company's name	:	(Dubois) Electronique.
— your associate's name	:	(Paul Durand) will contact you.
— your street name	:	We're located on the (Champs-Élysées).

B) Practice giving numbers

You should be able to give **numbers** clearly. Practice with the following, again using your own address or phone number.

— your company's mailing address	:	B.P. 76, 54321 Nancy Cedex
— your company's street address	:	15, avenue des Marronniers 38100 Grenoble
(Can you spell "*Marronniers*" ?)		
— your home phone number (Remember to group the numbers vocally.)	:	29-54-92-10
— your business phone number	:	44-32-66-19
— your extension number	:	39-33
— your flight number	:	IF 950
— your credit card number	:	5795 0004 6223 4932
— a reference number	:	BX 577 8080
— a model number	:	988-0265 D
— a price	:	FF 395 FF 9,822 FF 125.50 each for orders of 10 or more.

C) Entraînez-vous à donner heures et dates

— la date de la prochaine réunion :	le 15 juin
— la date limite des offres :	le 21 avril
— les dates de votre séjour à Los Angeles :	du 22 au 29 mai
— le jour de votre rendez-vous :	le jeudi 30 janvier
— l'heure d'arrivée à La Nouvelle-Orléans :	9 h 15
— l'heure de rendez-vous :	11 h 30
— le jour de livraison de votre commande :	vendredi 10, entre 9 h et 11 h
— les dates qui conviendraient pour un nouveau rendez-vous :	le mardi 13 mars ou le jeudi 15 mars

C) Practice giving times and dates

— the date for your next meeting :	June 15
— the deadline for bids :	April 21
— when you will be in Los Angeles :	from May 22 to 29
— when you have an appointment :	Thursday, January 30
— arrival time in New Orleans :	9:15 a.m.
— time of appointment :	11:30
— the day your order will be delivered :	Friday 10, between 9 and 11
— possible dates for a new appointment :	Tuesday, March 13 or Thursday 15

ÉTAPES DE LA CONVERSATION TÉLÉPHONIQUE

STEPS OF A TELEPHONE CONVERSATION

1re partie :

Joindre votre correspondant

Reaching your correspondent

1 On décroche
Phone is answered

1a. On vous demande de patienter
You may be put on hold

1b. Vous êtes en présence d'un répondeur
You may be connected to an answering machine

2 Obtenir votre correspondant
Getting directed to the right person

2a. On peut vous demander votre nom
You may be asked to identify yourself at this point

2b. On peut vous mettre en attente
You may be put on hold

3 On vous transfère ou on vous passe le poste
You're transferred or connected

4 Présentez-vous
Announce yourself

4a. On vous invite à laisser un message
You may be invited to leave a message

3

I : Joindre votre correspondant

1. On décroche

1) Vous pouvez entendre un simple « Hello* » — à notre avis trop succinct et trop froid. À éviter !

(*) « Hi ! » est à éviter pour saluer votre interlocuteur dans vos conversations professionnelles. Il doit être réservé aux conversations entre amis, quand vous savez qui vous appelle.

2) « Hello » pourra être suivi du nom de l'entreprise ou du laboratoire que vous appelez :

— Allô, ici la Société Johnson.
— Compagnie Transplanète.

3) Votre correspondant se montrera plus accueillant s'il utilise une formule de salutation du type suivant :

Mots clés :

— BONJOUR. — EN QUOI PUIS-JE VOUS ÊTRE UTILE ? — ICI... À L'APPAREIL.

— Bonjour, ici les Laboratoires Winston.
— Allô, ici le cabinet du Dr Rodger, bonjour.
— La société d'alimentation Clark à votre service.
— Bonjour, ici l'hôtel Redstone.
— Allô, John MacCutcheon, j'écoute.
— Merci d'appeler United Stores.

1a. On vous demande de patienter

1) Les lignes sont saturées, vous êtes en présence d'un répondeur, vous entendez :

— Compagnie Nationale, ne quittez pas. Un de nos agents va vous répondre dans quelques instants.
— Nous vous prions de patienter. Nous allons donner suite à votre appel.
— Le service que vous avez demandé n'est pas disponible pour l'instant. Veuillez garder l'écoute.

3

I : Reaching your correspondent

1. Phone is answered

1) You might hear a simple "Hello*". But as you can see, it gives the least information and should be avoided.

(*) "Hi !" should not be used in business calls. It's for friends, when you know who's calling.

2) "Hello" can be followed by the name of the organization, firm or laboratory you're calling :

— Hello, Johnson Industries.
— Transplanet Airlines.

3) The greeting will sound more cheerful and you'll feel more welcome if one of the following phrases is used :

Key words :

— GOOD MORNING. — GOOD AFTERNOON. — MAY I HELP YOU ? — ... SPEAKING.

— Good morning, Winston Labs.
— Dr. Rodger's office, good afternoon.
— Clark Food Service, may I help you ?
— Good afternoon, Redstone Hotel.
— John MacCutcheon speaking.
— United Stores, thank you for calling.

1a. You may be put on hold

1) All the lines are busy ; you hear a recorded message inviting you to **wait** :

— National Airlines, please hold. Our next available agent will be with you shortly.
— One moment please. Our agents will soon be with you.
— The service you've asked for will be available to you very shortly. Please stay with us.

2) Votre correspondant décroche et vous met en attente. Généralement il vous demande la permission de le faire.

Mots clés :

— NE QUITTEZ PAS. — RESTEZ EN LIGNE. — JE VAIS VOUS METTRE EN ATTENTE.

— Ici la Société Johnson, ne quittez pas, s'il vous plaît.
— Veuillez ne pas quitter.
— Puis-je vous mettre en attente quelques instants ?
— Voulez-vous rester en ligne, merci.
— Je vous prie de bien vouloir patienter quelques instants, je n'en ai pas pour très longtemps.

■ Les expressions utilisées pour mettre un interlocuteur en attente sont plus nombreuses en anglais qu'en français. Elles sont toutes équivalentes et correspondent au français « Ne quittez pas, s'il vous plaît ». Les nuances sont introduites au niveau des formes de politesse exprimées à l'aide du modifiant utilisé **« May I... », « Could I... », « Would you... »**, etc. Pour plus de détails concernant les expressions permettant de *demander la permission de*, reportez-vous aux chapitres 1 et 8.

3) Votre correspondant reprend la communication et vous remercie de votre patience :

— Merci d'avoir patienté.
— Merci d'avoir gardé l'écoute.
— Merci de votre patience.

2) The caller answers the phone and puts you on hold : before doing so he asks for permission.

Key words :

— HOLD. — HOLD THE LINE. — PUT YOU ON HOLD. — MOMENT.

— Johnson Industries, please hold.
— Hold the line please.
— May I put you on hold ?
— Would you hold on a moment, please ?
— Could you please hold ? I'll be with you right away.
— Would you mind holding while I answer my other line ?
— Do you mind holding for a moment ? I'll be right back.

■ There is a greater variety of expressions for putting someone on hold in English than in French. They are all the equivalent of « *Ne quittez pas* » in French. The variation comes from different forms of politeness in the modifier used. **"May I...", "Would you...", "Could you...", "Would you mind holding...", "Do you mind holding ?"** For more of these expressions and phrases, see chapters 1 and 8 (extended vocabulary and expressions).

3) The caller comes back on the line and thanks you for holding :

— Smith and Gordons, thanks for waiting.
— Thank you for holding the line.
— Thanks for your patience.

1b. Vous êtes en présence d'un répondeur-enregistreur

On vous invite à laisser un message, en général vos nom, adresse et numéro de téléphone. Le message entendu pourra être du type :

— Bonjour ! Vous êtes en communication avec le répondeur-enregistreur de la société Wonderful Vacations. Si vous désirez une documentation, laissez vos nom et adresse ainsi que votre code postal. Merci de nous dire également où vous avez vu notre publicité. Nous nous ferons un plaisir de vous envoyer notre brochure dès que possible. Parlez lentement après le signal sonore, épelez les mots difficiles et répétez votre code postal. Merci.

— Vous êtes bien en communication avec les Éditions Brook. Nous ne sommes pas en mesure de répondre à votre appel. Merci de laisser vos nom, adresse ainsi que votre numéro de téléphone...

— Bonjour ! Vous êtes en communication avec le répondeur de l'agence de voyages Dam. Nos bureaux sont ouverts du lundi au vendredi, de 8 heures à 17 heures. Nous ne sommes pas en mesure de prendre votre appel. Nous vous rappellerons. Merci de laisser votre nom et votre numéro de téléphone sans oublier l'indicatif de zone après le signal sonore.

Entraînez-vous à préparer votre message pour ne pas être surpris ou pris de court.

1b. You may be connected to an answering machine

You're invited to leave a message, usually your name and address and telephone number. The recorded message may sound like this :

— Hello, this is Wonderful Vacations brochure service. Thank you for calling ! Please give your name and address, including your post code. It would also help if you could say where you saw the advertisement. Our brochure will be on its way to you by the next post. Please speak slowly and clearly after the tone, spelling out any difficult names and repeating your post code.

— Thanks for calling Brook Publications ! We're unable to take your call at the moment. Please leave your name and address and your phone number...

— Hi ! You've reached Dam Travel Agency. Our office hours are Monday through Friday, from 8 to 5. We cannot come to the phone right now. However, we will return your call. So would you please read your name, area code and telephone at the sound of the beep. Thank you.

Be prepared ahead of time to leave a message if necessary.

I : Joindre votre correspondant

2. Obtenir votre correspondant

C'est à vous de faire en sorte qu'on vous passe la personne que vous recherchez.

Avant d'exposer votre requête, assurez-vous que vous êtes bien en communication avec la personne que vous souhaitez contacter ou bien le poste ou le service qui pourra vous renseigner. En utilisant les mots clés adaptés à votre situation, vous obtiendrez plus rapidement le service souhaité.

Dans les exemples suivants, ces *mots clés* sont : BUREAU — (n° de) POSTE — SERVICE MARKETING - SERVICE DES VENTES — SERVICE DU PERSONNEL - RÉCLAMATIONS (bagages perdus) — RÉSERVATION — LIVRE COMMANDÉ.

— Pouvez-vous me passer le bureau de Ray Silverheel, je vous prie ?

— Poste 3669, s'il vous plaît.

— Pouvez-vous me passer le service marketing, s'il vous plaît ?

— Pourrais-je parler à quelqu'un du service des ventes ?

— Pourrais-je parler à M. Johnson, s'il vous plaît ?

— Bonjour, pourriez-vous me passer le service du personnel, je vous prie ?

— Je vous appelle au sujet de bagages que j'ai perdus.

— Je vous appelle à propos d'une réservation que j'ai faite hier.

— Je vous appelle car je n'ai toujours pas reçu le livre que j'ai commandé.

I : Reaching your correspondent

2. Getting directed to the right person

It is up to you to make sure you're directed to the right person.

Make sure you have the right person, extension, department or service capable of helping you, before you go into details. By using the key words for your situation, you'll be connected rapidly to the right service.

In the examples below,
OFFICE — EXTENSION — MARKETING DEPARTMENT — PERSONNEL DEPARTMENT — LOST LUGGAGE — RESERVATION — BOOK ORDERED
will help whoever has answered the phone direct you to someone competent.

— Ray Silverheel's office, please.

— Extension 3669.

— Marketing Department, please.

— May I speak to someone from the Sales Department ?

— Could I speak to Mr Johnson, please ?

— Hello, could you connect me with the Personnel Department, please ?

— I'm calling to inquire about some lost luggage.

— I'm phoning about a reservation I made yesterday.

— I'm calling because I've not yet received the book I ordered.

2a. On peut vous demander votre nom

— C'est de la part de qui ?
— Qui dois-je annoncer à M. Smith ?
— Qui est à l'appareil ?

2b. On peut vous demander de patienter

— Merci de patienter.
— Je vous demande quelques instants.
— Puis-je vous demander de patienter ?
— Pouvez-vous patienter quelques instants, je reprends la ligne tout de suite.
— Le poste que vous demandez est occupé. Souhaitez-vous attendre ?
— Si vous voulez bien patienter quelques instants, je vais voir si M. Davis est dans son bureau.
— Ne quittez pas, je m'assure que M. Davis est disponible.
— Le Dr Jones est en communication, voulez-vous patienter ?

3. On vous transfère ou on vous passe le poste

Mots clés :
— JE VOUS PASSE... LE POSTE... — PASSER QUELQU'UN À QUELQU'UN.

— M. Davis est absent pour la journée*. Puis-je vous passer le poste de M. Brown ?
— Je vous passe notre service étranger.
— Je vous passe le service marketing. Vous pourrez obtenir ce service directement en composant le 290-1283.
— M. Davis se trouve au poste 46-64. Je vous le passe.

(*) Attention de ne pas utiliser certaines formules maladroites comme « *il est allé déjeuner* » ou bien « *il n'est pas encore revenu de déjeuner* » ou encore « *je n'arrive pas à le trouver* », lorsque la personne demandée au téléphone est absente.

2a. You may be asked to identify yourself at this point

— May I ask who's calling ?
— May I tell Mr Smith who's calling ?
— May I have your name, please ?

2b. You may be put on hold

— Please hold.
— One moment, please.
— May I put you on hold ?
— Could you please hold ? I'll be with you right away.
— That extension is busy. Would you care to hold ?
— If you'd like to hold on a moment, I'll see if Mr Davis is in his office.
— Hold on, I'll check and see if Mr Davis is available.
— Dr. Jones is on another call ; will you wait ?

3. You're transferred or connected

Key words :

— I'LL TRANSFER YOU TO... EXTENSION... — PUT SOMEONE THROUGH TO SOMEONE.

— Mr Davis is not in today*. May I transfer you to Mr Brown ?
— I'll transfer you to our Overseas Department.
— I'll transfer you to our Marketing Department. In the future you may dial that department directly. The number is 290-1283.
— Mr Davis is on extension 46-64. I'll put you through to him.

(*) Be careful not to use expressions like *"He's out to lunch"* or *"He's still not back from lunch"* or *"I can't find him"*, when the person called is not available.

I : Joindre votre correspondant

4. Présentez-vous

Présentez-vous : il est capital en effet de vous présenter, de donner suffisamment d'informations sur votre société et sur votre emploi pour que votre interlocuteur puisse vous identifier sans tarder. Ainsi vous ne perdez pas de temps et votre conversation prend un bon départ.

— Bonjour, ici Jean Dupont. Pourrais-je parler à M. Davis ?
— Ici Vincent Prix, de Bordeaux, en France. Nous nous sommes rencontrés en juin dernicr à la conférence AST.
— Ici Bernard Saint, des Industries Câble, en France. Je souhaiterais parler à quelqu'un du service du personnel, merci.
— Ici la secrétaire du Dr Johnson. J'appelle pour changer votre rendez-vous.
— Ici Peter Hancock. Je représente la société Imagery. Nous sommes une compagnie française qui vend du matériel audiovisuel.

4a. On peut vous inviter à laisser un message Vous souhaitez peut-être laisser un message

— Désolée, le Dr Johnson est absent. Puis-je prendre un message ?
— M. Davis n'est pas dans son bureau. Puis-je vous aider ?
— C'est M. Rogers qui s'occupe des expéditions vers l'étranger. Je regrette, mais je ne peux pas vous le passer. Voulez-vous laisser un message ?
— Désolée, M. Davis est en rendez-vous. Voulez-vous laisser votre numéro de téléphone pour qu'il vous rappelle ?

— Pourrez-vous dire à M. Davis que j'ai appelé ?
— J'aimerais laisser un message pour M. Davis.
— Pourriez-vous prendre un message pour M. Davis ?

I : Reaching your correspondent

4. Announce yourself

Identifying/introducing yourself : it is extremely important to introduce yourself, to give enough information about your company and your position so that the person you're calling identifies you immediately. It saves time and gives a good start to your call.

— Good morning. This is Jean Dupont. May I speak to Mr Davis, please ?
— This is Vincent Prix from Bordeaux, France. We met in June at the A.S.T. Conference.
— This is Bernard Saint with Cable Industries in France. I'd like to speak to someone in the Personnel Department.
— This is Dr. Johnson's secretary. I'm calling to change his appointment with you.
— This is Peter Hancock. I represent Imagery. We're a French company that deals with audio-visual equipment.

4a. You may be invited to leave a message
You may want to leave a message

— I'm sorry, Dr. Johnson is not in at the moment. Can I take a message ?
— Mr Davis is not in his office. May I help you ?
— Mr Rogers takes care of our overseas shipments. I'm afraid he's not available at the moment. Would you like to leave a message ?

— I'm sorry, Mr Davis is not available now. May I take your number and have him call you back ?

— Will you tell Mr Davis that I called ?
— I'd like to leave a message for Mr Davis.
— Could you take a message for Mr Davis ?

4

ÉTAPES DE LA CONVERSATION TÉLÉPHONIQUE

STEPS OF A TELEPHONE CONVERSATION

2e partie :

Indiquer l'objet de votre appel

State your business

1 Faire des réservations
Making reservations

2 Confirmer ou changer une réservation
Confirming or changing a reservation

3 Passer une commande
Placing an order

4 Prendre un rendez-vous
Making an appointment

5 Confirmer, modifier, annuler un rendez-vous
Confirming, changing, cancelling an appointment

6 Demander des renseignements
Asking for information

7 Éclaircir un problème ; se plaindre
Inquiring about a problem ; making complaints

8 Excuses et promesse d'une amélioration
Apologies and a promise for the future

9 Regrets ; réponses négatives
Regrets ; negative replies

10 Fin de la communication
End of call

1. Faire des réservations

Mots clés :
— JE VOUDRAIS RÉSERVER (une place, une chambre).
— J'APPELLE POUR RÉSERVER (une place, une chambre).
— JE PRÉFÉRERAIS... — JE (RE)CHERCHE (une location de voiture).

— Je souhaiterais réserver une chambre pour trois nuits, les 19, 20 et 21 mars.
— Je voudrais réserver une chambre pour une famille de quatre personnes, deux adultes et deux enfants. Je suppose que vous avez des tarifs spéciaux pour le week-end. Ce serait pour le vendredi 13 et le samedi 14 juin.
— Je vous appelle pour faire une réservation sur un vol de Seattle à Los Angeles pour le vendredi 15 mars. Je préférerais un vol qui m'amène à Los Angeles avant midi.

— Je souhaiterais réserver deux aller et retour entre Atlanta et Washington, avec départ le 21 août et retour le 25. En classe affaires si possible.
— Je voudrais réserver une voiture pour trois jours, du 19 au 21 avril. Je suis titulaire d'une carte de crédit « tarifs préférentiels ». Le numéro est E 922 36 4082.
— Je désire louer une voiture pour deux semaines à compter du 3 juillet. Pouvez-vous me dire si vous faites des tarifs spéciaux à la semaine ?
— Je cherche une location à Orlando en Floride pour une famille de cinq personnes, deux adultes et trois enfants. Pouvez-vous me renseigner sur des forfaits pour un minimum de cinq nuits et un maximum de sept ?

(Pour du vocabulaire supplémentaire, voir le lexique spécialisé hôtel, avion, location de voiture, p. 151 sq.)

1. Making reservations

Key words :

— I'D LIKE TO RESERVE (a room, a flight). — I'M CALLING TO BOOK (a room, a seat). — I WOULD PREFER... — I'M INTERESTED IN (renting a car).

— I'd like to reserve a room for three nights for March 19, 20, 21.

— I'd like to reserve a room for a family of four — two adults and two children. I believe you have special family rates on the weekend. I'm interested in Friday and Saturday, June 13 and 14.

— I'm calling to book a seat on a flight from Seattle to Los Angeles on Friday, March 15. I would prefer a flight that gets me into Los Angeles before noon.

— I'd like to book two round-trip tickets from Atlanta to Washington, leaving on August 21, returning August 25. I prefer business class if it's available.

— I'd like to reserve a full-sized car for three days — from April 19 to 21. I have a Bargain Car credit card. My number is E 922 36 4082.

— I'm interested in renting a car for two weeks beginning July 3. Could you tell me if you have any special weekly rates ?

— I'm interested in a family vacation in Orlando, Florida — two adults and three children. Could you give me some information on packages you have available for a minimum of five nights, a maximum of seven ?

(For extra vocabulary for hotels, airlines and car rentals, see p. 151 sq.)

2. Confirmer ou changer une réservation

Mots clés :

— J'APPELLE POUR CONFIRMER... — J'AIMERAIS CHANGER (UNE RÉSERVATION). — JE SOUHAITE ANNULER...

— J'appelle pour confirmer une réservation que j'ai faite sur un vol TPA pour Philadelphie le 7 février. Mon nom est Meloy. J'épelle : M-E-L-O-Y.
— J'aimerais changer ma réservation, s'il vous plaît. J'ai une place mercredi sur le vol UW 987. J'aimerais partir jeudi, si possible.
— J'ai réservé deux chambres pour les 13 et 14 juin au nom de Blanc - B-L-A-N-C. Je souhaite annuler une des deux réservations et changer les dates de la seconde aux 14 et 15 juin.

3. Passer une commande

Mots clés :

— COMMANDER. — SOUSCRIRE : UN ABONNEMENT, À UN TARIF SPÉCIAL. — LE PRIX INDIQUÉ. — ADRESSER LA FACTURE À QUELQU'UN.

— Je voudrais commander dans votre catalogue d'automne l'article qui a pour référence CR 63220. Le prix indiqué est de 26,95 dollars. Je vous donne le numéro de ma carte Vista : 887 0084 2131.
— J'appelle pour souscrire un abonnement à votre quotidien. Si j'ai bien compris, vous proposez un tarif spécial pour six mois à 53,59 dollars.
— Je vous appelle pour commander le *Manuel de mécanique des fluides* présenté à la dernière page de votre brochure parue au printemps. Pourriez-vous m'envoyer la facture à l'adresse suivante ?

2. Confirming/changing a reservation

Key words :

— I'M CALLING TO CONFIRM... — I'D LIKE TO CHANGE (A RESERVATION). — I'D LIKE TO CANCEL...

—I'm calling to confirm my reservation on TPA flight 563 to Philadelphia on February 7. My name is Meloy : that's M-E-L-O-Y.

—I'd like to change a reservation, please. I have a seat on UW flight 987 on Wednesday. I'd like to change that to Thursday if possible.

—I have a reservation for two rooms on June 13 and 14 under the name Blanc - B-L-A-N-C. I'd like to cancel one of the rooms and change the other to June 14 and 15.

3. Placing an order

Key words :

— TO ORDER. — TO SUBSCRIBE. — A SUBSCRIPTION. — SPECIAL RATE. — LISTED PRICE. — TO BILL SOMEONE.

—I'd like to order article number CR 63220 from your fall catalogue. The price listed is $26.95. My Vista card number is 887 0084 2131.

—I'm calling to place a subscription for your newspaper. I understand you're offering a special rate for six months at only $53.59.

—I'm phoning to order the *Manual of Fluid Mechanics* as listed on the last page of your spring brochure. Could you please bill me at the following address ?

4. Prendre rendez-vous

Mots clés :

— AVOIR RENDEZ-VOUS. — RENCONTRER QUELQU'UN (LE).
— PRENDRE RENDEZ-VOUS. — ORGANISER (UNE VISITE).

—Je serai à La Nouvelle-Orléans pendant la semaine du 7 novembre. J'aimerais savoir s'il serait possible que nous prenions rendez-vous un jour de cette semaine-là.
—J'ai fait subir quelques améliorations intéressantes à notre programme XYL et j'aimerais vous les montrer. Pourrions-nous nous rencontrer lundi ou mardi de la semaine prochaine ?
—Quand je serai à Londres, je serai libre la plupart des après-midi. Pourrais-je avoir un rendez-vous n'importe quel après-midi après 15 heures ?

—J'aimerais avoir un rendez-vous avec le Dr Glassman, s'il vous plaît — le plus tôt possible.
—Je vous serais reconnaissant si vous pouviez me donner un rendez-vous cette semaine.
—Je souhaiterais profiter de mon séjour pour visiter vos laboratoires. Pensez-vous qu'il soit possible d'organiser une visite jeudi ou vendredi ?
—Je vous appelle pour prendre rendez-vous avec le Pr Jones pour discuter de sujets communs de thèse.
—Pensez-vous que M. Garth puisse me consacrer un moment demain pour en discuter ?
—On peut se voir à un moment ou à un autre pour parler d'une éventuelle collaboration ? *(familier)*
—Est-ce que je peux juste passer aujourd'hui pour voir M. Garth ? *(familier)*
—Pourquoi est-ce que nous ne déjeunons pas ensemble chez Charlie ? *(familier)*

4. Making an appointment

Key words :

— TO HAVE AN APPOINTMENT. — TO MEET SB. ON. — TO MAKE AN APPOINTMENT. — TO ARRANGE FOR (A VISIT). — TO SET UP AN APPOINTMENT WITH.

●●

— I'll be in New Orleans during the week of November 7. I'd like to know if it would be possible to have an appointment with you sometime during that week.
— I have made some interesting improvements on our XYL Program that I would like to show you. Would it be possible to meet on Monday or Tuesday of next week ?
— During my stay in London, I'll be free most afternoons. Could I have an appointment any afternoon after 3:00 ? ●●

— I'd like to make an appointment with Dr. Glassman, please — as soon as possible.
— I would appreciate it if you could give me an appointment for later in the week.
— I'd like to take advantage of my stay to visit your labs. Do you think it would be possible to arrange for a visit on Thursday or Friday ?
— I'm calling today to set up an appointment with Prof. Jones to discuss joint thesis subjects.
— Do you think Mr Garth could spare a moment to discuss this matter with me tomorrow ?
— Can we get together some time to talk about a possible collaboration ? *(informal)*
— I just wondered if I could pop in and see Mr Garth today *(informal)*
— Why don't we have lunch together at Charlie's ? *(informal).*

5. Confirmer/modifier/annuler un rendez-vous

Mots clés :

— ANNULER UN RENDEZ-VOUS. — JE NE POURRAI PAS ÊTRE LÀ.
— JE DEVAIS RENCONTRER... — REPORTER UN RENDEZ-VOUS.

— Je voulais simplement confirmer mon rendez-vous avec M. Gordon la semaine prochaine.
— J'appelle pour annuler mon rendez-vous avec le Dr Glassman.
— J'appelle de Denver. Mon avion est bloqué par la neige et je ne pourrai être à Hanovre à temps pour notre rendez-vous jeudi. Pourrions-nous convenir d'une autre date au début de la semaine prochaine ?
— Je devais rencontrer le Pr Jones demain. Malheureusement, je ne pourrai être là. Je suis retenu à Daytona. Serait-il possible de reporter ce rendez-vous à vendredi ?
— Désolé, mais j'ai une réunion imprévue mardi. Je vais être obligé d'annuler notre rendez-vous.
— John, j'ai bien peur de ne pouvoir être au rendez-vous que nous avons fixé. On peut trouver un autre moment ? *(familier)*

TYPES DE RÉPONSES QUE VOUS POUVEZ OBTENIR

— Quand est-ce que ça vous arrangerait de venir ?
— Quand êtes-vous libre ?
— Je n'ai pas un moment de libre ni mardi ni mercredi.
— J'ai un mardi très chargé. Le reste de la semaine est relativement libre.
— Ma seule possibilité serait vendredi à 14 heures.

— Au plus tôt, je pourrai le 3 juin.
— Je préfère le matin. / C'est en général mieux pour moi le matin.
— Que diriez-vous de jeudi ?
— Je jette un coup d'œil sur mon carnet de rendez-vous.
— Ça me va bien.
— Alors, disons jeudi à 14 heures.

5. Confirming/changing/cancelling an appointment

Key words :

— TO CANCEL AN APPOINTMENT. — I WON'T BE ABLE TO MAKE IT. — I WAS SUPPOSED TO MEET. — TO POSTPONE A MEETING.

●●

— I just wanted to confirm that I'm coming to see Mr Gordon next week.
— I'm calling to cancel my appointment with Dr. Glassman.
— I'm calling from Denver. My plane is snowed in, and I won't be able to make it to Hanover in time for our appointment on Thursday. Could we set up another one for early next week ? The weather should have cleared up by then. ●●
— I was supposed to meet with Prof. Jones tomorrow. Unfortunately, I won't be able to make it. I've been held up in Daytona. Would it be possible to postpone our meeting till Friday ?
— I'm sorry but I have an unexpected meeting on Tuesday. I'm afraid I'll have to cancel our appointment.
— John, it looks as if I won't be able to keep the appointment we made. Can we find another time *(informal).*

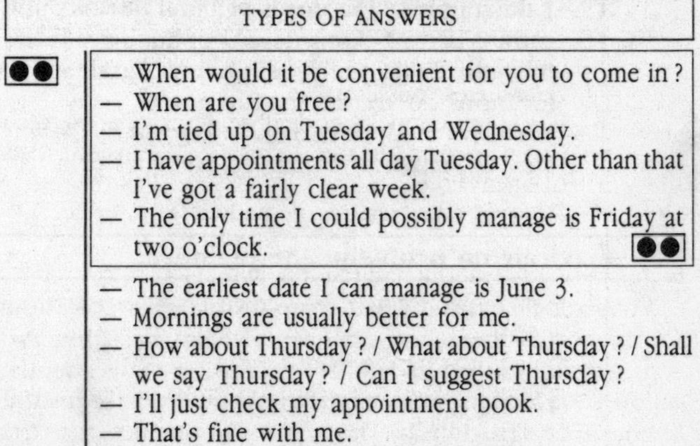

TYPES OF ANSWERS

●●

— When would it be convenient for you to come in ?
— When are you free ?
— I'm tied up on Tuesday and Wednesday.
— I have appointments all day Tuesday. Other than that I've got a fairly clear week.
— The only time I could possibly manage is Friday at two o'clock. ●●
— The earliest date I can manage is June 3.
— Mornings are usually better for me.
— How about Thursday ? / What about Thursday ? / Shall we say Thursday ? / Can I suggest Thursday ?
— I'll just check my appointment book.
— That's fine with me.
— We'll make it Thursday at 2:00 then.

6. Demander des renseignements

Mots clés :

— JE VOUDRAIS DES RENSEIGNEMENTS SUR... — J'APPELLE POUR SAVOIR SI... — J'AIMERAIS AVOIR UNE IDÉE DE... — POURRIEZ-VOUS M'EXPÉDIER... - J'AIMERAIS SAVOIR SI... — J'AIMERAIS (RECEVOIR)...

— Je voudrais des renseignements sur le vol de Denver à Miami.
— J'appelle pour savoir si vous avez des brochures concernant vos programmes de stages en industrie.
— Pourriez-vous me donner une idée du coût d'expédition pour des paquets de moins de 2,5 kg ?
— Pourriez-vous m'envoyer un formulaire concernant votre programme « Voyageurs abonnés » ?
— J'aimerais savoir s'il est encore possible de se procurer des tickets pour le concert du 7 février.
— Pourriez-vous me donner une idée des délais de livraison pour la France, soit vers Paris, soit vers Le Havre ?
— J'aimerais recevoir une liste à jour de vos publications dans le domaine de l'optique des lasers.
— Je souhaiterais que vous me renseigniez sur les locations de voiture longue durée.
— J'ai lu votre annonce dans le *Journal du Technicien* et j'aimerais connaître quelques prix.

7. Éclaircir un problème. Se plaindre

Vous appelez afin d'éclaircir un problème précis. Vous souhaitez avoir une réponse nette et obtenir satisfaction. Présentez donc d'abord les faits avec précision ; puis attendez qu'on vous fournisse des explications ou qu'on se justifie. Si vous n'êtes pas satisfait des réponses obtenues, montrez alors plus de fermeté dans vos paroles !

6. Asking for information

Key words :

— I'D LIKE SOME INFORMATION ON... — I'M CALLING TO FIND OUT IF... — I'D LIKE TO HAVE AN IDEA OF... — COULD YOU PLEASE SEND ME... — I'D LIKE TO KNOW IF... — I'M INTERESTED IN OBTAINING...

●●

— I'd like some information on flights from Denver to Miami.
— I'm calling to find out if you have any brochures available on your internship programs.
— I'd like to have an idea of your delivery charges for parcels under 5 pounds.
— Could you please send me an application form for your frequent travellers program ? ●●

— I'd like to know if it is still possible to obtain tickets for the February 7 concert.
— Could you please give me an idea of your delivery delays to France, either Paris or Le Havre ?

— Could you send me an updated list of your publications in the field of laser optics ?
— I'm interested in obtaining some information on long-term car rentals.
— I saw your advertisement in *The Technician's Journal*, and I'd like some information on prices.

7. Inquiring about a problem. Making complaints

You're calling to inquire about a precise problem. You're anxious to have a definite answer and to obtain satisfaction. First state the facts accurately ; then wait for the explanations or justifications. If you're not satisfied with the answers, sound firmer.

1) **Présentez les faits avec précision.**

Mots clés :

— J'APPELLE AU SUJET DE / À PROPOS DE... — JE VOUS TÉLÉPHONE POUR SAVOIR SI...

— J'appelle au sujet d'un article que je vous ai adressé le 9 septembre dernier.
— Je vous téléphone pour savoir si mes bagages ont été retrouvés. Ils ont été égarés hier : ils étaient sur le vol de Minneapolis à Phoenix.
— Je vous appelle à propos d'un envoi que vous deviez me faire le mois dernier.

2) **Vous pouvez essayer de raisonner votre interlocuteur, prendre un ton menaçant ou lui faire des reproches.**

Mots clés :

— JE CRAINS QUE... — VOUS ÉTIEZ CENSÉS... — OBTENIR SATISFACTION. — JE NE SUIS PAS TRÈS SATISFAIT DE LA FAÇON DONT... — MA PATIENCE A DES LIMITES.

— Je crains qu'il n'y ait eu confusion lorsque j'ai fait ma réservation.
— J'ai essayé à plusieurs reprises de vous contacter. Vous étiez censés m'adresser un courrier le mois dernier. Que s'est-il passé ?
— Vous devez penser que je vous ennuie. C'est la troisième fois que je téléphone et je n'ai toujours pas obtenu satisfaction. Soit vous me livrez mes bagages cet après-midi, soit vous m'envoyez un chèque de remboursement.
— Je ne suis pas très satisfait de la façon dont cette affaire a été traitée. J'aimerais voir les choses avancer, maintenant !
— Écoutez ! J'ai été très patient jusqu'à présent mais ma patience a des limites ! Puis-je parler à votre directeur ?

1) **State the facts clearly.**

Key words :

— I'M CALLING TO INQUIRE ABOUT... — I'M CALLING TO FIND OUT IF... — I'M PHONING ABOUT...

— I'm calling to inquire about a paper I sent on September 9.
— I'm calling to find out if my luggage has been found yet. It was lost on yesterday's flight from Minneapolis to Phoenix.
— I'm phoning about a shipment you were to have made last month.

2) **You may want to sound open to discussion, threatening or reproachful.**

Key words :

— I'M AFRAID... — YOU WERE SUPPOSED TO... — TO OBTAIN SATISFACTION. — I'M NOT VERY HAPPY ABOUT... — I HAVE NO PATIENCE LEFT !

— I'm afraid there has been a mix-up in my reservation.
— I tried many times to contact you. You were supposed to write last month. What happened ?

— You may think I'm a nuisance, but this is the third time I have called and I still haven't obtained satisfaction. Either I have my bags this afternoon or you give me a check.

— I'm not very happy about the way your company has handled this affair. I'd like to see some real progress now !
— Look ! I have been very patient so far, but now I have no patience left. I'd like to talk to your supervisor.

TYPES DE RÉPONSES QUE VOUS POUVEZ OBTENIR

Réponses positives - action immédiate

Mots clés :

— JE VEILLERAI À CE QUE... — JE M'ASSURERAI QUE... — JE LE FERAI FAIRE... — JE CHARGERAI QUELQU'UN DE... — RAPIDEMENT. — IMMÉDIATEMENT.

— Je m'en occuperai personnellement / J'y veillerai personnellement.
— Je veillerai à cc qu'ils vous parviennent dans les meilleurs délais.
— Je me renseigne immédiatement pour vous.
— Je chargerai quelqu'un de retrouver votre commande.
— Demain, le problème aura été éclairci.
— Je fais en sorte que les choses aillent aussi vite que possible.
— Je le fais faire en premier demain.

Réponses positives - délai demandé

— Je verrai ce que je peux faire.
— Je vous rappelle dès que j'ai regardé les choses d'un peu plus près.
— Il faudra que j'étudie la question avec notre directeur des ventes.
— Je suis sûr que nous arriverons à trouver une solution.

8. Excuses et promesse d'une amélioration future

Montrez-vous compatissant avec votre interlocuteur. Montrez que vous comprenez sa réaction et que vous éviterez pareille situation à l'avenir.

Mots clés :

— DÉSOLÉ. — ÉVITER DE FUTURS PROBLÈMES.

— Je suis désolé pour le désagrément que cela vous a causé. Je ferai tout ce qui est en mon pouvoir pour éviter pareille situation à l'avenir.

TYPES OF ANSWERS

Positive reply - immediate action

Key words :

— I'LL SEE TO IT. — I'LL MAKE SURE. — I'LL HAVE IT DONE.
— I'LL HAVE SOMEONE DO IT. — QUICKLY. — IMMEDIATELY.

— I'll see to it personally.
— I'll make sure you get them quickly.
— I'll look into the matter for you immediately.
— I'll have someone track down your order.
— We'll have this cleared up by tomorrow.
— I'll get things moving as quickly as possible.
— I'll have it done first thing tomorrow.

Positive reply - with a delay

— I'll see what I can do.
— I'll get back to you as soon as I've looked into things.
— I'll have to go into this with our sales manager.
— I'm sure we'll manage to sort out the situation.

8. Apologies and a promise for the future

Show you sympathize with your caller, that you understand his reaction, and that you'll do your best to avoid future problems.

Key words :

— SORRY. — AVOID FURTHER PROBLEMS.

— I'm sorry for the inconvenience this has caused you. I'll do everything I can to avoid further problems.

Mots clés :
— REGRET(TER). — EXCUSES.

— Je regrette cette erreur. Je veillerai à ce que pareille situation ne se reproduise pas.
— Veuillez accepter nos excuses. Je ferai de mon mieux pour que pareils problèmes ne se reproduisent pas.
— Je comprends votre réaction. Je vous promets que cela ne se reproduira plus.
— Je suis navré. Je ferai tout mon possible pour arranger les choses.

9. Regrets. Réponse négative

L'expression très fréquemment utilisée en anglais **I'm afraid** sert à annoncer de mauvaises nouvelles. Elle permet d'adoucir vos propos et montre que vous n'êtes pas insensible au problème.

J'ai (bien) peur que...
— il n'y ait plus de billets pour le concert du 7 février.
— nous n'ayons plus rien de libre pour juillet.
— nous ne l'ayons pas encore reçu.
— nous n'ayons pu en retrouver trace.
— tous nos envois ne soient bloqués par une grève des dockers.

Je doute que...
— nous puissions vous aider.
— qu'il y ait eu un changement depuis hier.

Key words :
— TO REGRET. — APOLOGIES.

— I regret this confusion. I'll see to it that this doesn't happen again.
— Please accept my apologies. I'll do my best to make sure there are no future problems.
— I understand your reaction. Be assured this won't happen again.
— I'm very sorry about this, and I'll do everything I can to correct the problem.

9. Regrets. Negative replies

I'm afraid announces bad news. It softens the blow and shows that you are not indifferent to the problem. It's used in a variety of situations.

I'm afraid...
— the February 7 concert is sold out.
— we have nothing available for July.
— we haven't received it yet.
— we haven't been able to locate it.
— all our shipments are blocked by a dockers' strike.

I doubt...
— we'll be able to help you.
— there's been any change since yesterday.

10. Suggestions d'une alternative

Mots clés :

— JE SUGGÈRE... — POURQUOI NE PAS RAPPELER... ?
— PEUT-ÊTRE...

> — Je suggère que vous appeliez votre agence de voyages.
> — Pourquoi ne rappelez-vous pas demain ?
> — Le mieux serait peut être que vous preniez un taxi.

VOUS OU VOTRE INTERLOCUTEUR METTEZ FIN À LA CONVERSATION

Voici ce que vous pourrez entendre :	**Voici ce que vous pourrez dire :**
— World Airlines vous remercient de votre appel.	— Merci. Au revoir*.
— J'espère que nous travaillerons à nouveau ensemble dans l'avenir.	— Moi aussi. Au revoir.
— Merci de votre aide.	— De rien. Au revoir.
— Je serai heureux(se) de vous rencontrer le 12.	— Moi aussi. Au revoir.
— J'espère que ces renseignements vous seront utiles.	— Sûrement. Encore merci. Au revoir.
— Autre chose que je puisse faire pour vous aujourd'hui ?	— Je crois que c'est tout. Merci. Au revoir.
— J'ai été ravi(e) d'avoir pu parler avec vous.	— Moi de même. Au revoir.

(*) **Bye-bye** est à éviter. Vous pouvez l'utiliser dans une conversation familière. Il n'a pas sa place dans une conversation professionnelle.

10. Suggestions for alternative action

Key words :

— I SUGGEST... — WHY DON'T YOU CALL BACK... ?
— PERHAPS.

— I suggest you call your travel agency about that.
— Why don't you call back tomorrow ?
— Perhaps the best idea would be for you to take a taxi.

YOU OR THEY END
THE CALL

You may hear :	**You may say :**
— Thank you for calling World Airlines.	— Thank you. Good-bye*.
— I hope we'll do business again in the near future.	— I hope so too. Good-bye.
— Thank you for your help.	— You're welcome. Good-bye.
— I'm looking forward to seeing you on the 12th.	— Me too. Good-bye.
— I hope this information will help you.	— I'm sure it will. Thank you again. Good-bye.
— Is there anything else I can do for you today ?	— I think that's all. Thanks. Good-bye.
— It was nice talking to you.	— It was my pleasure. Good-bye.

(*) **Bye-bye** should be avoided in a business context. It can be used in your personal conversations, but it's definitely not appropriate for the office.

RÉPONDEURS TÉLÉPHONIQUES

ANSWERING MACHINES

1 Messages enregistrés
Recorded messages

A) Compagnie aérienne.
Airline

B) Compagnie de chemins de fer
Railroad

C) Cinéma
Movie theater

2 Retenir l'essentiel d'un message
Remembering the essentials (selective listening)

3 Préparer / Laisser un message
Preparing / Leaving a message

●● Organismes et sociétés donnent de plus en plus fréquemment les informations dont le public peut avoir besoin sous forme de messages enregistrés. Les exercices qui suivent ont pour but de vous entraîner à écouter les messages de façon **sélective**, c'est-à-dire en cherchant et en sélectionnant l'information importante, celle dont vous avez besoin. En effet, trop souvent celui qui écoute un message se laisse arrêter par un mot qu'il ne comprend pas, perdant ainsi le fil du message.

Dans beaucoup de cas, ce mot n'est pas essentiel à une bonne compréhension. Écoutez attentivement chacun des messages proposés. Étudiez la grille soumise avec chacun d'eux et remplissez-la avec l'information manquante.

Recorded messages are being used more and more frequently to handle inquiries from the public. The following exercises will help you learn to listen selectively to recorded messages to get the precise information you want. Too often people are blocked by one word that they haven't understood, and the rest of the message is lost.

It's rare, however, for one word to block the comprehension of an entire text. For each message, a grid is provided. Take a look at the grid. Then as you listen to the message, fill in the missing information. ●●

5 Répondeurs téléphoniques

1. Écoute - A : Compagnie aérienne

A. *Vous appelez la compagnie Transplanet. Vous avez lu dans le journal qu'une grève à l'aéroport O'Riley de Chicago était à l'origine de retards et vous voulez savoir quels vols sont touchés.*

Ceci est un message enregistré émanant de la compagnie Transplanet. À cause d'une grève du personnel au sol à l'aéroport O'Riley, de nombreux vols ont été retardés ou annulés. Transplanet vous prie d'excuser les désagréments causés par cette situation. La compagnie fera tout son possible pour vous tenir informés des changements d'horaires.

Le message qui va être diffusé concerne les arrivées seulement. Pour les départs, vous êtes priés d'appeler le 293-5647, je répète, 293-5647. Ce message sera mis à jour toutes les heures.

- Le vol TPA 591 en provenance d'Orlando, arrivée prévue à 9 h 22, est retardé. L'atterrissage est prévu à 10 h 05.
- Le vol TPA 388 en provenance de Houston, arrivée prévue à 9 h 45, a été annulé.
- Le vol TPA 472 en provenance de Paris, arrivée prévue à 10 h 05 est dérouté sur l'aéroport Midtown de Chicago. L'atterrissage est prévu à 10 h 20 à Midtown.
- Le vol TPA 296 en provenance de Denver, arrivée prévue à 10 h 05, arrivera à 11 h 05.
- Le vol TPA 588 en provenance d'Atlanta, arrivée prévue à 10 h 18, arrivera à Milwaukee. Un service de bus sera mis à la disposition des passagers à l'aéroport de Milwaukee. L'arrivée à l'aéroport O'Riley de Chicago est prévue à 11 h 30.
- Le vol TPA 375 en provenance de Dallas, arrivée prévue à 10 h 35, arrivera à l'heure.

TPA vous prie à nouveau d'excuser les désagréments causés par ces retards et fera de son mieux pour vous tenir constamment informés.

5 Answering machines

1. Recorded messages - A : Airline Company

●● **A.** *You're calling Transplanet Airlines. You've read that a strike at O'Riley Airport has caused some slowdowns, and you want to know which flights are affected.*

This is a recorded message from Transplanet Airlines. Due to a strike by ground personnel at O'Riley Airport, many of our flights have been delayed or cancelled. Transplanet regrets any inconvenience this may cause, and we will do our best to keep you informed of schedule changes.

The following message is for incoming flights only. For information on departing flights, call 293-5647, that's 293-5647. This message will be updated hourly.

- TPA flight 591 from Orlando, scheduled to arrive at 9:22, will now be arriving at 10:05.
- TPA flight 388 from Houston, scheduled to arrive at 9:45, has been cancelled.
- TPA flight 472 from Paris, scheduled to arrive at 10:05, will now be arriving at Chicago's Midtown Airport. Arrival time at Midtown Airport will be 10:20.
- TPA flight 296 from Denver, scheduled to arrive at 10:05, will now be arriving at 11:05.
- TPA flight 588 from Atlanta, scheduled to arrive at 10:18, will now be arriving at Milwaukee. Bus service will be provided from the Milwaukee Airport. Arrival time at Chicago's O'Riley Airport will be 11:30.

- TPA flight 375 from Dallas, scheduled to arrive at 10:35, will be arriving on time.

Again, TPA regrets any inconvenience to its passengers and will do its best to keep you informed of schedule changes. ●●

5 Répondeurs téléphoniques

1.A. Exercice de compréhension

Remplir les blancs :

Message enregistré de la compagnie Transplanet

Numéro d'appel pour obtenir des informations sur les vols en partance ____________________

Numéro de vol	Venant de	Heure d'arrivée prévue	Nouvel horaire	Autre information
TPA 591	Orlando	9 h 22	10 h 05	
________	Houston	9 h 45		
TPA 472	Paris	________	10 h 20	________
TPA 296	Denver	10 h 05	________	
TPA 588	________	10 h 18	11 h 30	________
________	________	________	________	

5 Answering machines

1.A. Listening exercise

Fill in the blanks :

Transplanet Airlines recorded message

Phone number for information on departing flights ______

____

Flight number	From	Scheduled arrival Time	New time	Other important information
TPA 591	Orlando	9:22	10:05	
______	Houston	9:45		
TPA 472	Paris	______	10:20	______
TPA 296	Denver	10:05	______	
TPA 588	______	10:18	11:30	______
______	______	______	______	

B. *Vous habitez South Bend, dans l'Indiana, et vous voulez vous rendre à Chicago, dans l'Illinois. Vous appelez la compagnie de chemins de fer South Shore pour vous renseigner sur les horaires.*

Vous écoutez le répondeur de la compagnie de chemins de fer South Shore. Le message enregistré qui suit vous donne des informations concernant les trains assurant la liaison entre South Bend et Chicago. Pour tous renseignements concernant les trains circulant entre South Bend et Detroit, prière d'appeler le 334-9616. Je répète, 334-9616.

En semaine, la compagnie South Shore met quotidiennement à votre disposition quatre trains de South Bend à Chicago et retour. Les départs de South Bend ont lieu à 6 h 35, 7 h 20, 10 h 50 et 17 h 40. Les heures de départ de Chicago sont les suivantes : 7 h 30, 15 h 20, 17 h 50 et 20 h 10. La durée du trajet est d'environ deux heures et quinze minutes.

Les samedi et dimanche, les départs ont lieu de South Bend à 7 h 10, 9 h 20 et 17 h 15. Les trains partent de Chicago à 8 h 05, 16 h 20 et 21 h 50.

Attention, toutes les voitures E ont leur terminus à Michigan City et toutes les voitures D s'arrêtent à Gary. Les passagers à destination de Chicago ne doivent pas emprunter ces voitures.

À Chicago, le train dessert les gares de Van Buren Avenue, Grant Park et Union Station.

Le prix d'un aller simple pour Chicago est de 5,25 dollars. Les enfants au-dessous de quatre ans voyagent gratuitement, et les enfants au-dessous de douze ans bénéficient d'une réduction de 50 %. Les week-ends, l'aller simple est valable pour un retour gratuit au cours du même week-end.

Attention, les horaires d'été entreront en vigueur le jeudi 23 juin. Des changements d'horaires sont à prévoir.

B. *You live in South Bend, Indiana, and you want to travel to Chicago, Illinois. You've called South Shore Railroad to inquire about train schedules.*

This is a pre-recorded message from the South Shore Railroad. Please remain on the line for information on trains between South Bend and Chicago. For information on trains between South Bend and Detroit, dial 334-9616. That's 334-9616.

On weekdays, the South Shore Railroad operates four trains daily from South Bend to Chicago and back. Departure times from South Bend are : 6:35 a.m.. 7:20 a.m., 10:50 a.m. and 5:40 p.m. Departure times from Chicago are : 7:30 a.m., 3:20 p.m., 5:50 p.m. and 8:10 p.m. Travel time is approximately two hours and fifteen minutes.

On Saturdays and Sundays trains depart from South Bend at 7:10 a.m., 9:20 a.m. and 5:15 p.m. Trains depart from Chicago at 8:05 a.m., 4:20 p.m. and 9:50 p.m.

Please note that all E cars terminate at Michigan City and all D cars stop at Gary. Passengers continuing on to Chicago should not take seats in these cars.

Stops in Chicago are made at Van Buren Avenue, Grant Park, and Union Station.

The price of a one-way ticket to Chicago is $5.25. Children under four travel free, and children under twelve pay half price. On weekends, the one-way ticket is good for a free return trip the same weekend.

Please note that the summer schedule will go into effect on Thursday, June 23. Time changes will result.

Répondeurs téléphoniques

1.B. Exercice de compréhension

HORAIRES DE LA COMPAGNIE DE CHEMINS DE FER SOUTH SHORE

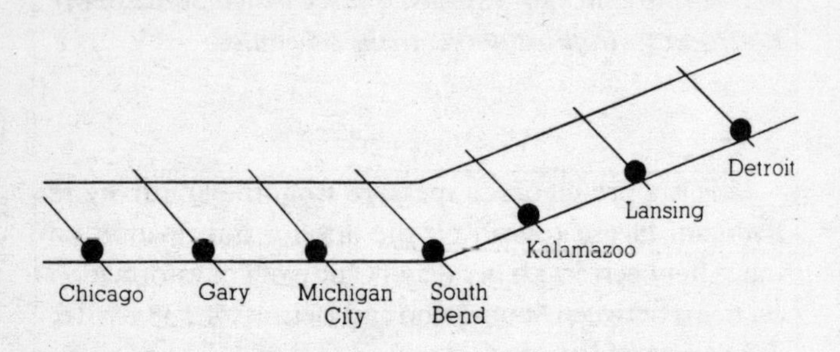

Le message qui suit concerne les trains circulant entre South Bend et Chicago. Pour obtenir des informations sur les horaires des trains assurant la liaison entre South Bend et Detroit, vous êtes priés d'appeler le ________________

Semaine

Départ de South Bend : 6 h 35, ______, 10 h 50, ______.
Départ de Chicago : ______, 15 h 20, ______, 20 h 10.
Durée du parcours : ________________________.

Samedi et dimanche

Départ de South Bend : 7 h 10, 9 h 20, ______________.
Départ de Chicago : ______________, 16 h 20, 21 h 50.
Les voitures ________ ont leur terminus à Michigan City.
Les voitures ________________ ont leur terminus à Gary.
Arrêts à Chicago : Van Buren Avenue, Grant Park, ____
____.

Prix du billet : ________________________________.
Horaires d'été à partir du : ______________________.
Prix total pour deux adultes et un enfant de trois ans pour un aller et retour le mardi : ______________________.
Prix total pour deux adultes pour un aller et retour un samedi : ____.

5

Answering machines

1.B. Listening exercise

SOUTH SHORE RAILWAY COMPANY RECORDED MESSAGE

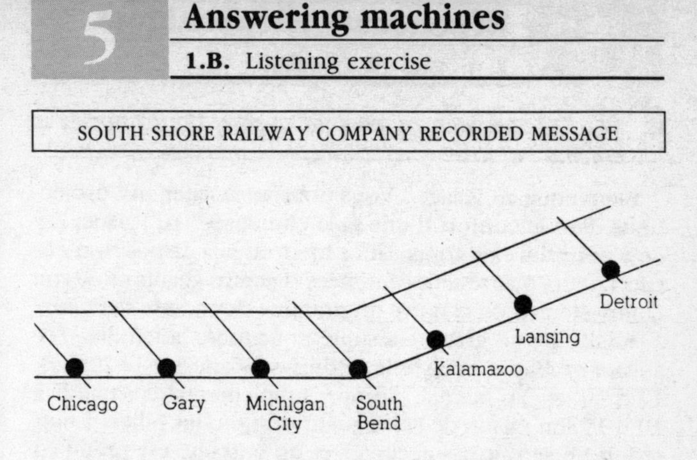

This message gives information on trains between South Bend and Chicago. For information on trains between South Bend and Detroit, call ______________________

Weekdays

Leave South Bend : 6:35 a.m., ____ , 10:50 a.m., ____ .
Leave Chicago : ______ , 3:20 p.m., ______ , 8:10 p.m.
Travel time : ______________________________ .

Saturday and Sunday

Depart South Bend : 7:10 a.m., 9:20 a.m., __________ .
Depart Chicago : ______________ , 4:20 p.m., 9:50 p.m.
____________________ cars terminate at Michigan City.
____________________________ cars terminate at Gary.
Stops in Chicago : Van Buren Avenue, Grant Park, ____
____ .

Ticket Price : __________________________________ .
Summer schedule begins : ______________________ .
Total price for two adults and a three-year-old child travelling round trip on a Tuesday : ________________ .
Total price for two adults travelling round trip on a Saturday : ______________________________________ .

C. *Vous voulez aller au cinéma ce soir. Vous appelez le cinéma Palace et vous écoutez leur message enregistré :*

Bienvenue au Palace ! Vous pourrez assister aux projections dans le confort d'une salle climatisée. Au Palace, il y en a pour tous les goûts. Nous mettons à la disposition des spectateurs quatre salles équipées d'écrans géants et de son Dolby stéréo. Voici notre programme pour cette semaine :

• Salle 1 : un grand classique pour toute la famille, *The Sound of Music*, avec Julie Andrews. Séances à 14 heures, 17 h 30 et 21 heures. Séance supplémentaire samedi à 10 h 15. En raison de la longueur du film, les billets à tarif réduit ne seront pas acceptés et un entracte est prévu au milieu du film.

• La salle 2 est réservée aux enfants cette semaine avec un duo spécial Disney. Ils pourront voir *Les 101 Dalmatiens* les lundi, mercredi et jeudi et *Blanche-Neige et les sept nains* les mardi, vendredi et samedi. Séances à 14, 16, 18, 20 et 22 heures. Séance spéciale « deux films pour le prix d'un » samedi matin à 10 heures. Deux films de Walt Disney pour le prix d'un ticket normal.

• Salle 3 : vous pourrez y voir *La Créature du lagon noir.* Soyez à l'heure ! Vous ne voudrez pas manquer le début de ce nouvel épisode à vous couper le souffle des aventures de la Créature. En raison de scènes d'horreur d'un très grand réalisme, le film est interdit aux moins de 13 ans. Début du film à 14 h 30, 17 h 10, 19 h 45 et 22 h 10. Séance spéciale en matinée samedi à 12 h 15.

• Salle 4 : vous pourrez assister à la projection du *Voyage au bout de l'enfer.* En raison de scènes de violence et d'érotisme, ce film est interdit au moins de 18 ans non accompagnés d'un adulte. Séances à 13 h 45, 16 h 30, 19 h 20 et 21 h 40. Séance supplémentaire samedi à minuit 15.

Le tarif applicable à tous les spectateurs est de 5 dollars, sauf indication contraire. Les enfants au-dessous de 14 ans et les personnes âgées bénéficient de tarifs réduits. Les tickets à prix réduits sont de 3 dollars et ne seront acceptés que les jours de semaine.

C. *You want to go to the movies tonight. You've called the Palace Theater and you're listening to their recorded message :*

Welcome to the Palace Theater for movie viewing in full air conditioned comfort. You can find something for everyone at the Palace with its four full-sized screens and Dolby sound systems. For this week's movie goers, the Palace is offering :

• At Palace 1 - The all time classic for the whole family - *The Sound of Music*, starring Julie Andrews. Show times are 2:00 p.m., 5:30 and 9:00. There will be a special showing on Saturday at 10:15 a.m. Due to the length of this film, no discount tickets will be accepted, and there will be a 15-minute intermission during the film.

• Palace 2 is reserved for the kids this week with a special Disney duo. *101 Dalmatians* will be playing on Monday, Wednesday, and Thursday. *Snow White and the Seven Dwarfs* will be playing on Tuesday, Friday and Saturday. Show times are 2, 4, 6, 8, and 10 o'clock. There'll be a special two-for-the-price-of-one show on Saturday at 10 a.m. Two Disney films at our regular low one ticket price.

• At Palace 3 - *The Creature From the Black Lagoon* - Be there on time. You won't want to miss the beginning of this breathtaking new episode in the adventures of the Creature. Due to scenes of unusually realistic horror, no one under 13 will be admitted. Films start at 2:30, 5:10, 7:45, 10:10. There is a special Saturday matinee at 12:15 p.m.

• Palace 4 is showing *The Deer Hunter*. Due to scenes of extreme violence and explicit sex, no one under 18 will be admitted unless accompanied by an adult. Show times are 1:45, 4:30, 7:20, and 9:40. The Saturday late show is at 12:15 a.m.

Regular admission is $5 unless otherwise indicated. Discount tickets are available for children under 14 and senior citizens. Discount tickets are $3.00. Discount tickets will be accepted on weekdays only.

Répondeurs téléphoniques

1.C. Exercice de compréhension : Cinéma

Remplir les blancs

Programmes du Palace

FILM	HORAIRES	SÉANCES SPÉCIALES	LIMITES D'ÂGE
La Mélodie du bonheur	14 h, ______ , 21 h	Samedi 10 h 15	oui ☐ non ☐
101 Dalmatiens *Blanche Neige et les sept nains*	Lundi, mercredi, ______ ______ vendredi, samedi 14, 16, 18, 20, 22 h		oui ☐ non ☐
La Créature du lagon noir	14 h 30, ______ 19 h 45, ______	Samedi ______	oui ☐ non ☐
Voyage au bout de l'enfer	13 h 45, ______ 19 h 20, 21 h 40	Samedi ______	oui ☐ non ☐

Answering machines

1.C. Listening exercise : Movie Theater

Fill in the blanks

Palace Theater programs

FILM	TIMES	SPECIAL SHOWINGS	AGE RESTRICTIONS
The Sound of Music	2:00, ______ , 9:00	Saturday 10:15 a.m.	yes ☐ no ☐
101 Dalmatians *Snow White and the Seven Dwarfs*	Monday, Wednesday, ______ ______ Friday, Saturday 2, 4, 6, 8, 10 o'clock		yes ☐ no ☐
The Creature from the Black Lagoon	2:30, ______ 7:45, ______	Saturday ______	yes ☐ no ☐
The Deer Hunter	1:45, ______ 7:20, 9:40	Saturday ______	yes ☐ no ☐

5

Répondeurs téléphoniques

2. Retenir l'essentiel d'un message

Les exercices proposés ici ont pour but de vous aider à développer une **écoute sélective** et à vous familiariser davantage encore avec les répondeurs-enregistreurs. Cette fois, aucune grille ne vous est donnée. Prenez librement des notes. Écoutez attentivement les instructions données avant chaque message. Elles guideront votre compréhension et vous aideront à trouver l'information importante (nom de personne, nom de lieu, adresse, heure d'arrivée, etc.). Attention : il s'agit de tirer l'**essentiel d'un message**, et non de transcrire la totalité du message !

Exemple - Vous entendez :

Ce message vous informe qu'une commande que vous avez passée à la société Carelli, concessionnaire automobile, est arrivée. Vous devrez noter une heure, un numéro de téléphone et un numéro de référence.

Ici Carelli Auto. Nous vous appelons pour vous informer que votre commande est arrivée. Vous pouvez passer la prendre un jour de la semaine entre 9 heures et 17 heures. Nous pouvons aussi vous la livrer. Dans ce cas, prière d'appeler le 936-9218. Lors de votre appel, veuillez préciser le numéro de la commande : GC 439-80-70. Merci.

Vos notes :

Carelli - prendre commande - ouvert 9 → 17 livraison 936-9218 - n° GC 439-80-70

À vous !

A. *La secrétaire du Dr Jordan vous appelle pour annuler un rendez-vous. Vous devrez noter la nouvelle date et la nouvelle heure ainsi que le numéro de téléphone.*

Ici le cabinet du Dr Jordan. Le Dr Jordan regrette de ne pouvoir vous recevoir comme convenu le lundi 13 mai à 9 h 15. Pourrions-nous convenir d'un autre rendez-vous le mercredi 15 mai après 14 heures ? Merci de rappeler le secrétariat pour confirmer au numéro suivant : 305-9077.

5

Answering machines

2. Remembering the essentials

The following exercises will help you develop your **selective listening** and at the same time familiarize you with answering machines. No grid is provided here. Listen attentively to the instructions before you listen to the message. They will make the message easier to understand and help you look for the information needed (name of person, name of place, address, time of arrival, etc.). Note down the essential elements.

Example - You will hear :

The following message tells you that an order you have placed with Carelli Motor Company has arrived. You will need to note a time, a phone number, and a reference number.

This is Carelli Motor Company. We're calling to announce that your order has arrived. You can pick it up any weekday between 9:00 and 5:00, or you can arrange for delivery by calling 936-9218. When calling, please specify order number : GC 439-80-70. Thank you.

Your notes :

Carelli - pick up order - open 9 → 5
delivery 936-9218 - order no. GC 439-80-70

Your turn now !

A. *Dr. Jordan's secretary is calling to cancel an appointment. You will need to note the new date and time and the phone number.*

This is Dr. Jordan's office. Dr. Jordan regrets that he will be unable to keep his appointment with you on Monday, May 13 at 9:15. Could we schedule a new appointment on Wednesday, May 15, after 2:00 ? Please call the office to confirm. The number is 305-9077.

B. *Votre ami Peter a laissé ce message vous demandant de venir le chercher à l'aéroport de Portland. Vous devrez noter une heure, le nom d'une compagnie et un numéro de téléphone où l'on peut joindre Peter.*

Ici Peter. J'arriverai à Portland mercredi à 15 h 45. Peux-tu venir m'attendre à l'aéroport ? Je serai sur un vol de la compagnie North Pacific. Mon numéro de vol est NP 992 et l'atterrissage est prévu à 15 h 45. Si tu ne peux pas venir, rappelle-moi avant 17 heures demain au 933-6512. Merci. À mercredi.

C. *M. Quill de la société d'informatique Johnson appelle pour vous informer d'un changement de plan. Vous devez noter un nom et un numéro de téléphone.*

Ici Dan Quill, de la société d'informatique Johnson. Je vous appelle pour vous informer d'un petit changement par rapport à ce qui avait été prévu. En effet, pour des motifs personnels, M. Lorenzo ne pourra se rendre à Paris où il devait vous rencontrer mardi. Il sera remplacé par M. Harvey Keilor, j'épelle K-E-I-L-O-R. M. Keilor appartient lui aussi à notre division de programmation d'Atlanta et je suis sûr qu'il vous sera d'un grand secours. Si vous voyez une quelconque objection à ce changement, merci de m'appeler au 349-6312.

D. *Mme Fletcher de la société Images et Cie appelle pour vous informer que la société lance un appel d'offres pour un nouveau projet. Vous noterez un numéro de dossier, un nom et un numéro de téléphone.*

Ici Denise Fletcher, de la société Images et Cie. Je vous téléphone pour vous annoncer que nous lançons un appel d'offres pour un nouveau projet. Nous aurons besoin d'un reportage photographique pour une campagne présentant une nouvelle collection d'été. Le cahier des charges du projet peut être obtenu en consultant le dossier numéro RX-95336. Dan Piecyk, j'épelle P-I-E-C-Y-K, sera le coordonateur du projet. Vous pouvez le joindre en appelant le 503.6277.

B. *Your friend Peter is calling to ask you to pick him up at the Portland Airport. You will need to note the time, airline, flight number and a phone number where Peter can be reached.*

This is Peter. I'll be arriving in Portland on Wednesday at 3:45. Can you pick me up at the airport? I'm flying North Pacific Airlines. My flight number is NP 992, and we're scheduled to arrive at 3:45. If you can't make it, call me back before 5:00 tomorrow at 933-6512. Thanks, see you Wednesday.

C. *Mr Quill from Johnson Computers is calling to announce a change in plans. You will need to note a name and a phone number.*

This is Dan Quill from Johnson Computers in Atlanta. I'm calling to announce a slight change in plans. Due to personal matters, Mr Lorenzo will be unable to meet with you in Paris on Tuesday. He will be replaced by Mr Harvey Keilor, that's spelled K-E-I-L-O-R. Mr Keilor is also from our programming division in Atlanta, and I'm sure you'll find him very helpful. If there are any objections on your part, please call me back at 349-6312.

D. *Mrs Fletcher from Images and Co. is calling to inform you that they are taking bids on a new project. You will need to note a file number, a name and a phone number.*

This is Denise Fletcher from Images and Co. I'm calling to announce that we are taking bids on a new project. We'll be needing some photographic work for a campaign for a new summer collection. Specifications for the project can be obtained by consulting file number RX-95336. Dan Piecyk, that's P-I-E-C-Y-K, will be coordinator for this project. He can be reached at 503-6277.

E. *M. Hadley des Laboratoires Winston appelle pour vous informer de certains changements dans l'emploi du temps de votre réunion de jeudi. Vous devrez noter un nom d'hôtel, un numéro de chambre, une heure et un numéro de téléphone.*

Ici James Hadley des laboratoires Winston. Je vous appelle pour vous informer de certaines modifications pour la réunion de jeudi. Une grève ici à l'aéroport de Houston a causé un nombre considérable de retards. Pour faciliter les choses pour chacun des participants, nous avons décidé de tenir notre réunion à l'hôtel Meraton de l'aéroport. Nous nous réunirons à la salle des conférences B30 à partir de 10 heures jeudi. Si vous désirez changer votre réservation d'hôtel pour jeudi soir de l'hôtel Meraton du centre ville à celui de l'aéroport, je me ferai un plaisir de le faire pour vous. Rappelez-moi au 396-7271.

F. *La compagnie aérienne Planet vous appelle pour vous annoncer que votre vol a été annulé et vous proposer un autre vol en remplacement. Vous noterez un numéro de vol, des heures de départ et d'arrivée et un numéro de téléphone.*

Ici la compagnie Planet. Nous sommes désolés de vous informer que tous les vols Planet 702 à destination de Memphis sont supprimés à compter du jeudi 13 juin. Votre réservation sur le vol du 15 juin doit donc être modifiée. Nous avons effectué pour vous une réservation en remplacement sur le vol Planet 774 qui part de Miami à 8 h 15 et arrive à Memphis à 9 h 53. Merci de nous rappeler pour confirmer cette réservation dès que possible au numéro suivant : 988-6410. Merci.

E. *Mr Hadley from Winston Laboratories is calling to announce some schedule changes for your meeting on Thursday. You will need to note a hotel name, a room number, a time and a phone number.*

This is James Hadley from Winston Laboratories. I'm calling to announce some changes for Thursday's meeting. A strike at the airport here in Houston has caused a considerable number of slowdowns. To facilitate things for everyone, we've decided to hold the meeting at the Meraton Airport Hotel. We'll be meeting in Conference Room B30 beginning at 10:00 on Thursday. If you'd like to change any hotel reservations for Thursday night from downtown Houston to the airport Meraton, I'll be glad to make the necessary arrangements. Just call me back at 396-7271.

F. *Planet Airlines is calling to announce that your flight is cancelled and to offer a replacement. You will need to note a flight number, times and a phone number.*

This is Planet Airlines. We regret to announce that all Planet Flights 702 to Memphis have been cancelled beginning Thursday, June 13. Your reservation for June 15 must be changed. We are holding a replacement reservation for you on Planet Flight 774 which leaves Miami at 8:15 and arrives in Memphis at 9:53. Please call and reconfirm at your earliest possible convenience. Our number is 988-6410. Thank you.

Répondeurs téléphoniques

3. Préparer / laisser un message

Entraînez-vous à présent à préparer un message téléphonique du type de celui que l'on laisse lorsqu'on a affaire à un répondeur. Il s'agit généralement de donner ses coordonnées — nom, adresse, numéro de téléphone — et de mentionner brièvement l'objet de son appel. Le message pourra être du type :

— Je m'appelle Jean Pierson — j'épelle : P-I-E-R-S-O-N. J'appelle pour savoir où la réunion Hydrox aura lieu. Mon adresse est 32, rue de l'Église, à Reims. Le code postal est 51100. Mon numéro de téléphone est le 46 64 52 16.

— Ici Marie Dupont, des Laboratoires Med. J'appelle pour confirmer mon arrivée jeudi à 16 h 30. S'il y a un problème, vous pouvez me joindre au 34 52 76 95. Merci.

Une grande variété d'expressions qui vous aideront à formuler l'objet de votre appel vous est proposée aux chapitres 3 et 4 (Étapes de la conversation téléphonique).

Now practice leaving a message on an answering machine. In most cases you'll be invited to leave your name, address and telephone number and to say briefly why you are calling. Your message could be of the following type :

— My name is Jean Pierson, that's P-I-E-R-S-O-N. I'm calling to find out where the Hydrox meeting will take place. My address is 32, rue de l'Église, Reims. The postal code is 51100. And my phone number is 46 64 52 16.

— This is Marie Dupont, from Med Labs. I'm phoning to confirm my arrival on Thursday at 4:30 p.m. If there's any problem, I can be reached at 34 52 76 95. Thank you.

See chapters 3 and 4 (Steps of a telephone conversation) for more expressions to help you state the purpose of your call.

TÉLÉPHONER EN GRANDE-BRETAGNE

HOW TO MAKE A CALL IN BRITAIN

1 Communications à l'intérieur du pays
Inland calls

1.1. Renseignements
Directory enquiries

1.2. Services accessibles via l'opérateur
Operator services

1.3. Services spécialisés
Special services

1.4. Indicatifs
Codes

1.5. Tarification des communications
Telephone call charges

1.6. Tonalités en usage
Standard phone tones

2 Appels internationaux
International calls

2.1. Renseignements internationaux
International directory enquiries

2.2. Automatique (système IDD)
International Direct Dialling (IDD)

2.3. Par l'intermédiaire d'un opérateur
International operator

2.4. Tarifs des communications
Dialling charges

3 Services offerts par les agences commerciales
Local Area Office Services

3.1. Service d'information à la clientèle
Area office enquiries

3.2. Service des dérangements
Fault repair service

6 Téléphoner en Grande-Bretagne

1. Communications intérieures (G.-B.)

Jusqu'en mars 1991, deux sociétés se partageaient le marché des télécommunications en Grande-Bretagne. Le gouvernement décida alors que le service britannique des télécommunications devait être ouvert à une plus large concurrence afin d'offrir aux usagers du téléphone la possibilité, entre autres, de choisir la communication la moins chère pour un appel longue distance.

1. Communications à l'intérieur du pays

1.1. Renseignements

Quand vous recherchez un numéro, indiquez à l'opérateur le nom de la ville de l'abonné.

1.2. Services accessibles via l'opérateur

L'opérateur vous aidera si vous ne réussissez pas à obtenir un numéro ou si vous voulez utiliser un service spécial tel que : durée et tarif, communication avec carte de crédit, « personal calls », PCV.

1.3. Services spécialisés

- Service du réveil.
- Horloge parlante.
- Lignes spéciales : météorologie, nouvelles sportives, services religieux, loisirs, voyages.
- Télécopie : permet de transmettre des documents via le réseau téléphonique (document A4).
- Telex : système de transmission de documents de type texte, accessible vingt-quatre heures sur vingt-quatre pour la transmission ou la réception de messages.
- Système britannique de Vidéotex : système interactif permettant d'avoir accès aux nouvelles sportives, de gérer votre compte en banque, de bénéficier de la messagerie électronique, etc.

1.4. Indicatifs

Tous les numéros au Royaume-Uni et en République d'Irlande sont précédés d'un **code** ou **numéro de central**. Parfois, vous devez composer cet indicatif pour obtenir le numéro que vous recherchez. D'autres fois, vous composez le numéro seul.

6 How to make a call in Britain

1. Inland calls (G.-B.)

Until March 1991, there were only two major suppliers of telecommunication services in Great Britain. The British Government then decided that the British telecommunication system had to be opened up to much wider competition in order for instance to give phone users an opportunity to choose the cheapest long distance lines for a particular call.

1. Inland calls

1.1. Directory enquiries

When you need to know a number, tell the operator the town you require.

1.2. Operator services

The operator helps you if you have difficulty making a call or if you want to use a special service such as : advice of duration and charge, credit card calls, personal calls, transfer charge calls.

1.3. Special services

- Alarm call.
- Speaking clock.
- Special lines : weather, sports news, religion, leisure, travel.
- Facsimile service : you can use it to send text via a telephone line (A4 document).
- Telex : it's a text transmission system available around the clock used for the despatch and receipt of messages.
- British videotex service : an interactive system which offers sports news, home banking, electronic mail service, etc.

1.4. Codes

All the telephone numbers in the United Kingdom and the Irish Republic have a **code** or **exchange name** at the beginning. Sometimes you have to use this code to get the number you want. Sometimes you dial the number on its own.

1.4. Indicatifs *(suite)*

Il existe trois types de communications :

- Communications dépendant d'un même central : vous appelez un numéro qui dépend du même central que le vôtre. Faites seulement le numéro, **pas de code**.
- Communications à l'intérieur d'une même zone : vous appelez un numéro dépendant d'un autre central, à l'intérieur de votre zone. Composez l'**indicatif local**, puis le numéro de l'abonné.
- Communications à l'intérieur du pays : vous appelez un abonné en dehors de votre zone. Utilisez alors l'**indicatif national** puis faites son numéro.
  « Numéro complet » : ex. : Londres 01-246 8020.

Vous devez composer l'indicatif national pour appeler en dehors de votre zone.

Les indicatifs locaux ne sont utilisés que pour des communications à l'intérieur d'une même zone.

La liste des indicatifs nationaux et locaux est donnée dans les annuaires.

1.5. Tarification des communications

Elle est fonction du nombre d'unités. Ce nombre dépend du lieu et du moment où vous appelez.

Il existe trois tarifs qui dépendent de l'heure de la journée où l'appel a lieu : tarif réduit, tarif rouge et tarif normal.

1.6. Tonalités en usage

- Tonalité d'appel (bourdonnement continu ou sifflement aigu) : elle vous signale le bon fonctionnement de l'appareil.
- Signal de sonnerie *(burr, burr)* : le numéro que vous avez composé sonne.
- Signal d'occupation (sonnerie brève et répétée) : le numéro que vous appelez est occupé. Rappelez plus tard !
- Tonalité qui signale qu'un numéro ne peut être obtenu, soit parce qu'il n'est pas attribué, soit parce qu'il est temporairement hors service.

1.4. Codes *(ctd)*

Three types of calls :

- Own exchange calls : you make a call to the same exchange. You dial the number, **no code**.
- Local area calls : you make a call to another exchange, within your local area. You dial the **local code** and then the number.
- National calls : you make a call outside your local area. Dial the **national code** and then the number. 'An all-figure number' : ex. : London 01-246 8020.

National codes must be used to dial from outside the local area.

Local area codes apply only to the local call area.

Both national and local codes are listed in phone books.

1.5. Telephone call charges

The charge for a call is made up of units. The number of units depends on when you call and where you call.

Three call rates exist depending on the time of day : cheap, peak and standard.

1.6. Standard phone tones

- Dial tone (continuous purring / high pitched hum) : signals that equipment is ready for your call.
- Ringing tone *(burr, burr)* : it's trying to call the dialled number.
- Engaged tone (repeated single tone) : the called number is in use. Call later !
- Number unobtainable tone (steady tone) : the called number is not in use or is temporarily out of service.

2.1. Renseignements internationaux

Appelez les renseignements internationaux si vous avez besoin d'un numéro d'abonné ou d'un indicatif de pays.

2.2. Automatique (système IDD)

Ce système est accessible dans tout le Royaume-Uni et dessert actuellement plus de 170 pays. Il est moins onéreux que l'appel via l'opérateur car le minimum de perception correspondant au prix de trois minutes de conversation n'existe pas.

Vous numérotez comme suit :

indicatif international	+	indicatif du pays	+	indicatif de zone	+	numéro demandé

Exemples :

Pour obtenir un abonné à Georgetown aux Bahamas :

010	+	1809	+	336	+	numéro demandé

Pour obtenir la France :

010	+	33	+	numéro demandé

(Il n'y a pas d'indicatifs de zone en France. Les numéros de téléphone sont des numéros à huit chiffres.)

2.3. Par l'intermédiaire d'un opérateur

Les appels obtenus via un opérateur coûtent plus cher que ceux obtenus par l'automatique et sont soumis à un minimum de perception correspondant au prix de trois minutes de conversation.

Les différents types d'appel possibles sont les suivants :

- Ordinaire (**station call**).
- En PCV : le coût de la communication sera facturé à l'abonné appelé à condition que la personne qui décroche accepte.
- Appels sur carte de crédit : on peut utiliser une carte de crédit téléphonique mise en vente par l'administration des télécommunications britanniques.
- **Personal call** : l'opérateur recherchera la personne à qui vous voulez parler et il ne vous en coûtera rien si elle n'est pas là.

En fin de conversation, l'opérateur peut vous indiquer la durée et le prix de votre communication.

6 How to make a call in Britain

2. International calls

2.1. International directory enquiries

If you need to know a number, a country code.

2.2. International Direct Dialling (IDD)

It's available from all over the United Kingdom to more than 170 countries. The IDD system is also cheaper than dialling via the operator since there is no three-minute minimum charge.

first		*then*	
international +	country code +	area code +	customer's number code

Examples :

From England to Georgetown in the Bahamas :

010 +	1809 +	336 +	customer's number

From England to France :

010 +	33 +	customer's number

(There are no French area codes. A customer's number is made up of eight digits.)

2.3. International operator

Calls via the operator are higher than for direct dialled calls and subject to a three-minute minimum charge.

The different types of calls you can make are the following :

- Ordinary (station) calls.
- Collect (transfer charge) calls : the charge for the call will be transferred to the called number, provided the person answering the called number accepts the charge.
- Credit card calls : you can use a telephone credit card issued by the British telephone administration.
- Personal calls : no charge will apply unless the person you wish to speak to is available.

You can obtain advice of duration and charge from the International operator. He/she will tell you know how long your call has lasted and how much it has cost.

2.4. Tarifs des communications

- tarif réduit
- tarif économique
- tarif rouge
- tarif normal

La zone de tarification d'un pays indique les différentes périodes auxquelles correspondent les tarifs. Ces zones sont données dans les annuaires. Quand vous appelez à l'étranger, méfiez-vous du décalage horaire entre le Royaume-Uni et les autres pays.

3. Services offerts par les agences commerciales

3.1. Service d'information de la clientèle

Il est à votre disposition pour ce qui concerne :

- la consommation et la facturation,
- la demande de nouvelles lignes,
- le service consommateurs.

3.2. Service des dérangements

Votre téléphone est en dérangement ? Indiquez au technicien votre numéro d'appel et la nature de la panne.

2.4. Dialling charges

- cheap rate
- economy rate
- peak rate
- standard rate

The charge band of a country shows the different charge rate periods. Charge bands are shown in the phone books. When you're calling overseas, beware of time differences between the U.K. and other countries.

3. Local Area Office Services

3.1. Area office enquiries

At your disposal for everything regarding :

- billing enquiries,
- new line orders,
- customer service information.

3.2. Fault repair service

Your phone is out of order. Tell the engineer the phone number and the nature of the fault.

6 Indicatifs U.S.A./ Area codes U.S. cities

Renseignements/Directory assistance + 555-1212

Akron, Ohio 216
Albuquerque, N. Mex . 505
Alexandria, Va. 703
Allentown, Pa. 215
Anaheim, Calif. 714
Annapolis, Md. 410
Arlington, Va. 703
Atlanta, Ga. 404
Atlantic City, N.J. 609
Augusta, Ga. 706
Austin, Tex. 512
Bakersfield, Calif. 805
Baltimore, Md. 410
Baton Rouge, La. 504
Berkeley, Calif. 510
Billings, Mont. 406
Birmingham, Ala. 205
Boise, Idaho 208
Boston, Mass. 617
Bronx, N.Y. 212
Brooklyn, N.Y. 718
Buffalo, N.Y. 716
Burbank, Calif. 818
Canton, Ohio 216
Cedar Rapids, Iowa ... 319
Charleston, W.Va. 304
Charlotte, N.C. 704
Chattanooga, Tenn. 615
Chicago, Ill. 312
Cincinnati, Ohio 513
Cleveland, Ohio 216
Colorado Springs, Colo. 719
Columbia, S.C. 803
Columbus, Ohio 614
Concord, N.H. 603
Corpus Christi, Tex. .. 512
Dallas, Texas 214
Davenport, Iowa 319
Dayton, Ohio 513
Denver, Colo. 303
Des Moines, Iowa 515
Detroit, Mich. 313
Durham, N.C. 919
Elizabeth, N.J. 908
Erie, Pa. 814
Evanston, Ill. 708
Fargo, N. Dak. 701
Flint, Mich. 313
Ft. Lauderdal, Fla. 305
Fort Worth, Texas 817
Gary, Ind. 219
Grand Rapids, Mich. .. 616
Green Bay, Wis. 414
Greensboro, N.C. 919
Harrisburg, Pa. 717
Hartford, Conn. 203
Houston, Texas 713
Indianapolis, Ind. 317
Jackson, Miss. 601
Jacksonville, Fla. 904
Jersey City, N.J. 201
Kansas City, Kans. 913
Kansas City, Mo 816
Lancaster, Pa. 717
Las Vegas, Nev. 702
Lexington, Ky. 606
Little Rock, Ark. 501
Long Beach, Calif. 310
Long Island, N.Y. 516
Los Angeles, Calif. 213
Louisville, Ky. 502
Macon, Ga. 912
Madison, Wis. 608
Manchester, N.H. 603
Mansfield, Ohio 419
Memphis, Tenn. 901
Miami, Fla. 305
Milwaukee, Wis. 414
Minneapolis, Minn. ... 612
Mobile, Ala. 205
Montgomery, Ala. 205
Nashville, Tenn. 615
New Brunswick, N.J. .. 908
New Haven, Conn. ... 203
New Orleans, La. 504
New York, N.Y. 212
Newark, N.J. 201
Niagara Falls, N.Y. 716
Norfolk, Va. 804
Oak Park, Ill. 708
Oakland, Calif. 510
Oklahoma City, Okla. . 405
Omaha, Neb. 402
Orlando, Fla. 407
Palo Alto, Calif. 415
Patterson, N.J. 201
Peoria, Ill. 309
Philadelphia, Pa. 215
Phoenix, Ariz. 602
Pittsburgh, Pa. 412
Portland, Maine 207
Portland, Ore. 503
Poughkeepsie, N.Y. ... 914
Providence, R.I. 401
Racine, Wis. 414
Raleigh, N.C. 919
Reading, Pa. 215
Reno, Nev. 702
Richmond, Va. 804
Rochester, N.Y. 716
Rockford, Ill. 815
Sacramento, Calif. 916
Saint Louis, Mo. 314
Saint Paul, Minn. 612
St. Petersburg, Fla. ... 813
Salt Lake City, Utah ... 801
San Antonio, Texas ... 512
San Diego, Calif. 619
San Francisco, Calif. .. 415
San Jose, Calif. 408
San Juan, Puerto Rico . 809
San Mateo, Calif. 415
Santa Monica, Calif. ... 310
Santa Barbara, Calif. .. 805
Savannah, Ga. 912
Schenectady, N.Y. 518
Scranton, Pa. 717
Seattle, Wash. 206
Sioux Falls, S. Dak. ... 605
South Bend, Ind. 219
Spokane, Wash. 509
Springfield, Ill. 217
Springfield, Mass. 413
Springfield, Ohio 513
Stamford, Conn. 203
Staten Island, N.Y. 718
Stockton, Calif. 209
Syracuse, N.Y. 315
Tampa, Fla. 813
Toledo, Ohio 419
Topeka, Kans. 913
Trenton, N.J. 609
Tucson, Ariz. 602
Tulsa, Okla. 918
Utica, N.Y. 315
Washington, D.C. 202
Waterbury, Conn. 203
Wichita, Kans. 316
Wilmington, Del. 302
Winston-Salem, N.C. .. 919

7

TÉLÉPHONER AUX ÉTATS-UNIS

HOW TO PLACE A CALL IN THE USA

1 Types de communications en automatique
Types of calls - Direct dial

- appels locaux
  local
- longue distance
  long distance
- numéros verts (« 800 »)
  "800" numbers
- appels internationaux
  international

2 Types de communications par l'intermédiaire de l'opérateur
Types of operator-assisted calls

- PCV
  Collect calls
- Appel personnel
  Person to person
- Durée et tarif
  Time and charges
- Facturation à un numéro tiers
  Billing a third number

3 Téléphones publics
Public phones

4 Autres services
Other services

7 Téléphoner aux États-Unis

1. Types de communications en automatique

Un numéro de téléphone se compose habituellement aux États-Unis de 10 chiffres : un indicatif de zone de 3 chiffres suivi d'un numéro de 7 chiffres ; par exemple : (312) 587-6414. L'indicatif de zone est inscrit entre parenthèses parce qu'il n'est utilisé que pour appeler d'une zone à une autre. Par exemple, si vous appelez dans Chicago, vous n'avez pas besoin d'utiliser l'indicatif de zone. Par contre, pour appeler Chicago depuis Detroit vous devez faire le (312) avant de composer votre numéro à 7 chiffres. L'indicatif de zone est bien sûr indispensable pour appeler les États-Unis depuis la France. Quand ils échangent leurs numéros de téléphone, les abonnés d'une même zone ne donnent en général que les 7 chiffres.

1. Types de communications en automatique

- **Communications locales :** 7 chiffres ; ex. : 291-4675.

- **Communications longue distance**

  L'appel longue distance le moins cher est l'appel direct, c'est-à-dire que vous composez le numéro vous-même, après avoir fait le 1 pour avoir accès au service longue distance.

  - à l'intérieur de votre zone : 1 + 7 chiffres ;
    Exemple : 1-288-7649
  - hors de votre zone : 1 + indicatif + 7 chiffres ;
    Exemple : 1-312-540-8771

- **Numéros commençant par 800**

  1 + 800 + 7 chiffres ; Ex. : 1-800-314-0940

  Les chiffres commençant par 800 offrent un service d'appel gratuit financé par de nombreuses entreprises. L'indicatif 800 indique que, bien qu'il s'agisse d'un appel longue distance, il sera pris en charge par l'entreprise que vous appelez.

  Bien sûr, vous composez le numéro vous-même.

  Sachez que vous ne pouvez pas joindre un numéro « 800 » aux États-Unis depuis l'étranger.

- **Communications vers l'étranger**

  1 + indicatif du pays + numéro de l'abonné

  Pour la France : 1 + 33 + 76 44 92 80

How to place a call in the USA

The standard phone number in the United States consists of ten digits : a three-digit area code plus a seven-digit number. It looks like this : (312) 587-6414. The area code is placed in parentheses because it is used only when calling from one zone to another. For example, when calling inside Chicago, the three-digit area code (312) is not used. But to call Chicago from Detroit, it is necessary to dial the (312) area code before the seven-digit number. The area code is, of course, also necessary when calling the United States from France. People usually give only the seven digits when giving their phone number to someone from the same locality.

1. Types of calls - Direct dial

- **Local calls :** seven-digits ; example : 291-4675.

- **Long-distance calls**

The least expensive type of long-distance call is direct dial which you dial yourself, accessing the long-distance service with the prefix 1.

- inside your area code : 1 + seven-digits
  Example : 1-288-7649
- outside your area code : 1 + area code + seven digits
  Example : 1-312-540-8771

- **"800" numbers**

1 + 800 + seven digits ; ex. : 1-800-314-0940

800 numbers are a free service provided by many businesses. The 800 prefix indicates that although the call is long-distance, it will be paid for by the company you are calling. You, of course, dial it yourself.

You will not be able to reach an "800" number in the United States if you are calling from a foreign country.

- **International calls**

1 + country code + number

For France : 1 + 33 + 76-44-92-80

Les appels obtenus par l'intermédiaire de l'opérateur coûtent plus cher que ceux obtenus par l'automatique, mais un large éventail de services est proposé.

Composez le 0 pour obtenir l'opérateur.

• Communications obtenues par l'intermédiaire de l'opérateur

À l'intérieur de votre zone : 0 + 7 chiffres ;
ex. : 0-291-0284.

Hors de votre zone : 0 + indicatif + 7 chiffres ;
ex. : 0-312-540-8771.

En demandant l'assistance de l'opérateur, vous pouvez bénéficier de l'un des services suivants :

— appel en PCV

La personne que vous appelez paiera la communication.

— appel personnel

Quand on décrochera le téléphone, l'opérateur demandera à parler à la personne dont vous avez donné le nom. Vous ne paierez la communication que si cette personne est là et répond.

— durée et tarif

Quand vous aurez terminé votre coup de fil, l'opérateur vous rappellera pour vous indiquer la durée de votre conversation et le prix total de la communication. Ce service est appréciable lorsque vous utilisez le téléphone de quelqu'un d'autre et que vous voulez payer votre communication.

— facturation à un numéro tiers

Vous pouvez demander à l'opérateur de facturer la communication à un numéro qui n'est ni celui d'où vous appelez ni celui que vous appelez.

Operator-assisted calls are more expensive than direct-dialed calls, but a wide variety of services can be obtained with this type of call.

The prefix 0 is used to call the operator.

• Operator-assisted calls

Inside your area code : 0 + seven digits ;
ex. : 0 + 291-0284.

Outside your area code : 0 + area code + seven digits ;
ex. : 0-312-540-8771.

When the operator intervenes, you may ask for one of the following services :

— collect call

The person you're calling pays for the call.

— person-to-person call

When the phone is answered, the operator will ask for the person whose name you have given her. You pay for the call only if the person is there.

— time and charges

When your call is finished, the operator will call you back and tell you how long you spoke and how much the call cost. This is useful when you are calling from someone's home and want to pay them for the use of the telephone.

— billed to a third number

You may ask the operator to charge the call to a number that is neither the number you are calling from nor the number you are calling.

3. Téléphones publics/appareils à pièces ou à cartes

Les mêmes types de communications que ceux décrits précédemment peuvent être obtenus depuis un téléphone public. Certains de ces téléphones n'acceptent cependant que des cartes de crédit. Cette particularité est mise en évidence et des appareils à pièces sont généralement installés dans les parages. Les procédures pour appeler un numéro peuvent varier ; prenez donc soin de lire attentivement les instructions.

4. Autres services

- **Renseignements à l'intérieur d'une zone :** 411.

Si vous n'avez pas d'annuaire à votre disposition, le service des renseignements vous donnera le numéro de l'abonné que vous recherchez.

- **Renseignements pour les appels longue distance**

À l'intérieur de votre zone : 555 + 1212.

Hors de votre zone : 1 + indicatif + 555-1212.

Le service offert est le même, mais cette fois pour des numéros en dehors de votre zone. L'opérateur vous demandera le nom de la ville de l'abonné que vous recherchez.

En 1985, la Commission fédérale des télécommunications a cassé le monopole des communications longue distance. Aujourd'hui, près de douze sociétés différentes offrent ce service. Chaque famille ou entreprise américaine souscrit un abonnement à la compagnie de téléphone de son choix. Les renseignements qui précèdent valent pour la plupart des régions des États-Unis et pour la plupart des sociétés assurant le service longue distance. Cependant, des différences peuvent exister d'une société à l'autre. Si vous rencontrez des difficultés lors d'un appel téléphonique, consultez l'annuaire fourni par la compagnie qui dessert la région d'où vous appelez.

3. Public or coin or credit-card phones

The same types of calls as those listed above are available from public phones. Some public phones, however, operate only with credit cards. They are clearly marked, and there is usually a coin phone nearby. Calling procedures vary, so you should read the instructions carefully.

4. Other services

- **Local directory assistance :** 411.

If you don't have access to a telephone directory, the directory-assistance operator will give you the local phone number you're looking for.

- **Long-distance directory assistance**

Inside your area code : 555-1212.

Outside your area code : 1 + area code + 555-1212.

The service is the same as the one above. But it gives numbers outside your area code. When the operator comes on the line, she will ask you what city you need the number for.

In 1985, the Federal Communications Commission broke up the long-distance monopoly in the United States. Today, nearly twelve different companies provide long-distance service. Each American home or business suscribes to the company it prefers. The instructions provided above are valid for most regions and most long-distance companies. However, some differences may exist from one company to another. If you have any problems calling, consult the directory furnished by the company providing long-distance to the phone you're calling from.

8

CAS PARTICULIERS

SPECIAL CASES

1 Faire répéter
Asking someone to repeat

2 Mauvaise liaison
Bad connections

3 Faux numéros
Wrong numbers

4 Maintenir le contact
Keeping the line alive

5 S'excuser
Apologizing

6 Donner des indications
Giving directions

8 Cas particuliers

1. Faire répéter - **2.** Mauvaise liaison - **3.** Faux numéros

1. Vous demandez à quelqu'un de répéter

Il y aura certainement des cas où vous n'aurez pas tout compris. Ne paniquez pas ! Ça arrive à tout le monde, même aux gens dont l'anglais est la langue maternelle ! C'est dû à la nature de la conversation téléphonique. Contentez-vous de demander à votre interlocuteur de répéter ses propos, en lui spécifiant dans la mesure du possible les points qui vous ont échappé.

Mots clés : — RÉPÉTER. — À NOUVEAU. — VOUS AVEZ DIT ?

— Je suis désolé. Je n'ai pas saisi. Pourriez-vous répéter, s'il vous plaît ?
— Ça vous ennuierait de répéter le dernier chiffre ?
— Pourriez-vous me redonner le numéro de vol ?
— Désolé, je n'ai pas suivi. Vous avez dit 30 ou 13 ?
— À quelle heure avez-vous dit que la réunion avait lieu ?
— Pourriez-vous parler plus lentement, je vous prie ?

2. La liaison est mauvaise

Mots clés : — MAUVAISE LIAISON. — INTERFÉRENCES. — RACCROCHER. — RAPPELER. — PARLER PLUS FORT.

— La liaison est mauvaise. Pouvez-vous parler un peu plus fort ?
— Il y a des grésillements sur la ligne. Est-ce que j'essaie de vous rappeler ?
— Il y a des interférences sur la ligne. Je raccroche et je vous rappelle. La liaison sera peut-être meilleure.
— Je ne vous entends pas très bien. La liaison n'est pas bonne.

3. Faux numéros

Vous avez fait un faux numéro. On décroche.
Mot clé : — FAUX NUMÉRO.

— Je crains que vous n'ayez un faux numéro.
— Vous devez avoir un faux numéro.

8 Special cases

1. Asking to repeat - **2.** Bad connections - **3.** Wrong numbers

1. Asking someone to repeat

There will undoubtedly be times when you haven't clearly understood. Don't panic ! It happens to everyone — even native speakers. It's the nature of the telephone. Simply ask the person to repeat, specifying, if possible, which part you didn't understand.

Key words : — TO REPEAT. — AGAIN. — DID YOU SAY ?

— I'm sorry. I didn't catch that. Could you repeat it please ?
— Would you mind repeating that last figure ?
— Could you give me that flight number again please ?
— Sorry, I didn't follow that. Did you say thirty or thirteen ?

— What time did you say the meeting was ?
— Could you speak more slowly please ?

2. Bad connections

Key words : — BAD CONNECTION. — INTERFERENCE. — TO HANG UP. — TO CALL BACK. — TO SPEAK LOUDER.

— I'm afraid we've got a bad connection. Could you speak a little louder ?
— There's a lot of static on the line. Should I try and call back ?

— There's interference on the line. Let me hang up and call back. Maybe we'll get a better connection.
— I can't hear you very well. We have a bad connection.

3. Wrong numbers

A wrong number is answered.

Key word : — WRONG NUMBER.

— I'm afraid you have a wrong number.
— You must have the wrong number.

Mots clés :

— QUEL NUMÉRO APPELEZ-VOUS ?

— Il n'y a personne de ce nom ici. Quel numéro appelez-vous ?
— Êtes-vous sûr d'avoir fait le bon numéro ?
— Vous devez avoir fait un mauvais numéro. Vous êtes au 289-5677.

Vous vous excusez.

— Je suis désolé(e).
— J'appelle le 289-5676.
— Je vous prie de m'excuser.

4. Vous devez maintenir le contact avec votre correspondant

Si vous avez quelqu'un en ligne et que vous interrompez la conversation pour rechercher une information (consulter votre ordinateur, un dossier), tenez votre correspondant informé de vos recherches de temps à autre — toutes les trente secondes environ. Cela le rassurera.

— Un instant, je vous prie. J'interroge l'ordinateur.
— J'attends que mon ordinateur fasse la recherche.
— Laissez-moi consulter mon agenda.
— Je jette un coup d'œil sur les commandes du mois dernier.
— Voilà. Je crois bien que je vais trouver ce qu'il me faut ici.
— Non, cela ne va pas.
— Je cherche toujours à obtenir l'information.

5. Vous vous excusez d'être importun

Si vous avez l'impression d'appeler à un mauvais moment ou si votre démarche prend du temps, excusez-vous. Vous montrerez ainsi à votre correspondant que vous appréciez le temps ou l'attention qu'il vous consacre.

Mots clés :

— EXCUSEZ-MOI DE ... — JE SUIS DÉSOLÉ(E)
— DÉRANGER — IMPORTUNER

Key words :
— WHAT NUMBER ARE YOU CALLING ?

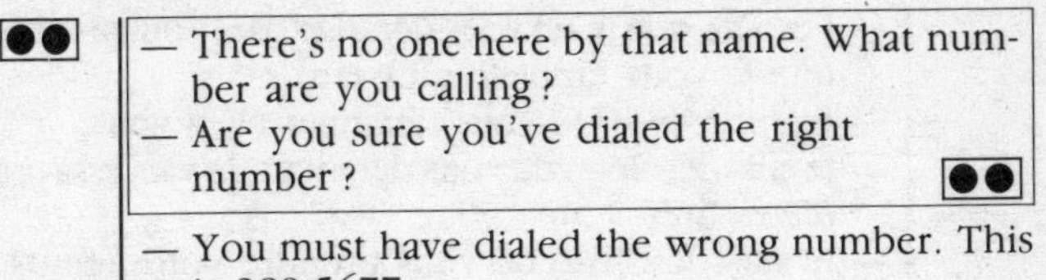

— There's no one here by that name. What number are you calling ?
— Are you sure you've dialed the right number ?

— You must have dialed the wrong number. This is 289-5677.

An apology is made.

— I'm sorry.
— I'm calling 289-5676.
— Please excuse me.

4. Keeping the line alive

If you have to leave the line to obtain information (consult your computer, open a file), give a progress report every thirty seconds or so. It reassures your caller.

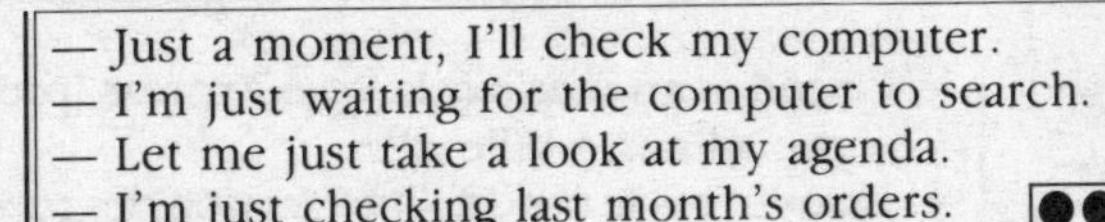

— Just a moment, I'll check my computer.
— I'm just waiting for the computer to search.
— Let me just take a look at my agenda.
— I'm just checking last month's orders.

— O.K. I think I might find something here.
— No, that won't do.
— I'm still looking for the information.

5. Apologizing for being troublesome

If you suspect you're calling at a bad time or if you're being particularly time consuming, apologize. It helps to show that you appreciate the extra time or extra attention you're being given.

Key words :
— EXCUSE ME FOR... — I'M SORRY
— TO DISTURB — TO TROUBLE

— J'espère que je n'appelle pas à un mauvais moment.
— J'espère que je ne vous dérange pas. Voulez-vous que je vous rappelle plus tard ?
— Excusez-moi de vous déranger chez vous.
— Je suis désolé(e) de vous déranger. Je vais essayer d'être bref.
— Je suis désolé(e) de vous prendre votre temps.
— J'espère que vous ne voyez pas d'inconvénient à répondre à toutes ces questions.
— Je suis désolé(e). Je sais que tout cela est très compliqué.
— Excusez-moi d'insister.
— Excusez-moi de vous importuner pareillement, mais j'ai réellement besoin de...
— Merci d'avoir été si patient.
— Désolé(e) de vous avoir dérangé.

6. Donner des indications de lieu au téléphone

— Quand vous êtes sur la voie express, prenez la sortie « Centre Ville ».
— Prenez vers le nord à l'intersection des rues Main et Ewing.
— Tournez à gauche aux feux.
— Prenez à droite après le bâtiment de la First Bank.
— Continuez tout droit pendant six « blocs ».
— C'est en face de la bibliothèque principale.
— Nous sommes à côté de l'hôtel Meraton.
— Vous ne pouvez pas le manquer. C'est le bâtiment le plus important de la rue.
— Il vaut mieux que vous gariez votre voiture sur le parking municipal et que vous veniez à pied à nos bureaux en longeant la rivière.
— C'est à dix minutes à pied seulement de l'hôtel Eastside.

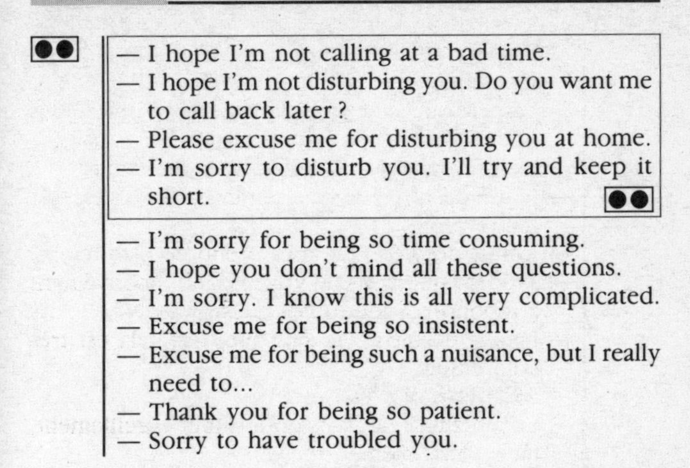

— I hope I'm not calling at a bad time.
— I hope I'm not disturbing you. Do you want me to call back later ?
— Please excuse me for disturbing you at home.
— I'm sorry to disturb you. I'll try and keep it short.

— I'm sorry for being so time consuming.
— I hope you don't mind all these questions.
— I'm sorry. I know this is all very complicated.
— Excuse me for being so insistent.
— Excuse me for being such a nuisance, but I really need to...
— Thank you for being so patient.
— Sorry to have troubled you.

6. Giving directions on the phone

— Take the 'Downtown' exit off the freeway.
— At the intersection of Main and Ewing, go north.
— Turn left at the traffic lights.
— Turn right at the First Bank building.
— Go straight for the next six blocks.

— It's across from the main library.
— We're located next to the Meraton Hotel.
— You can't miss it. It's the biggest building on the street.
— It's best to park at the municipal parking lot and walk along the river to our offices.
— It's only a ten-minute walk from the Eastside Hotel.

9

MODÈLES DE CONVERSATIONS
EXAMPLES OF CONVERSATIONS

Ce chapitre présente un certain nombre de conversations types qui mettent en situation toutes les étapes que vous avez vues dans les chapitres 3 et 4. Elles sont suivies d'exercices pratiques : votre rôle consistera à donner la réplique à un interlocuteur.

This chapter presents models of conversations that contain all the steps you've seen in chapters 3 and 4. They are followed by exercises : your role will consist in providing appropriate responses.

9 Conversations

1. Trouver son correspondant - 2. Réservation d'hôtel

1. Obtenez la personne que vous recherchez

— Ici les Laboratoires Winston, bonjour.
— Bonjour. Passez-moi le poste 3907, je vous prie.
— Un instant.
— Ici le service ventes. Que puis-je faire pour vous ?
— Je souhaiterais parler à Bob Reed.
— C'est de la part de qui ?
— C'est Jacques Septe, de Paris.
— Merci.
— Bob Reed.
— Bob, c'est Jacques Septe, de la Société Durand...

2. Faire une réservation d'hôtel

— Hôtel Eastside à votre service.
— Je souhaiterais réserver une chambre pour deux personnes avec bain.
— Bien, monsieur. Pour quelle date ?
— Pour trois nuits à partir du 15 octobre.
— C'est à quel nom, s'il vous plaît ?
— M. Mercier. J'épelle : M-E-R-C-I-E-R. Pourrais-je avoir une idée des prix, s'il vous plaît ?
— Les chambres qui donnent sur l'océan sont à 85 dollars. Celles sur la rue sont à 70 dollars.
— Donnez-moi une chambre sur la mer si vous en avez de disponible. Est-ce que le prix comprend le petit déjeuner et les taxes ?
— La chambre donne droit à un petit déjeuner continental, mais il y a 6 % de taxes en sus.
— C'est bon.
— Très bien, monsieur Mercier. Votre chambre est réservée pour trois nuits à partir du 15 octobre.
— J'arriverai tard. Pouvez-vous garder la chambre jusqu'à 22 heures ?
— Sans problème, monsieur. Mais j'ai besoin dans ce cas d'un numéro de carte de crédit.
— Le numéro de ma carte Vista est le 967 55 249 33401.
— Merci d'avoir appelé Eastside. Au revoir.

9 Conversations

1. Finding the right person - **2.** Hotel reservation

1. Make sure you're directed to the right person !

— Winston Laboratories. Good morning.
— Good morning. Extension 3907, please.
— One moment please.
— Sales Department, may I help you ?
— Yes, I'd like to speak with Bob Reed.
— May I ask who's calling, please ?
— This is Jacques Septe in Paris.
— Thank you, sir.
— Bob Reed.
— Bob, this is Jacques Septe from Durand Industries...

2. Making a hotel reservation

— Eastside Hotel, may I help you ?
— I'd like to reserve a double room with bath.
— Yes, sir. For what date ?
— For three nights beginning October 15.
— What is the name, please ?
— Mr Mercier, that's M-E-R-C-I-E-R. Could you give me an idea of your prices, please ?
— Ocean-front rooms are $85 per night. Street-side is $70.
— I'll take an ocean-front if you have one. Does that price include breakfast and taxes ?
— A continental breakfast comes with the room. Taxes are 6 % extra.
— O.K.
— All right, Mr Mercier. Your room is reserved for three nights beginning October 15.
— I'll be arriving late. Can you hold the room until 10 p.m. ?
— Of course, sir. I'll need a credit card number in that case.
— My Vista card number is 967 55 249 33401.
— Thank you for calling Eastside.

3. Faire une réservation de billet d'avion

— Ici la compagnie Transplanet, service des réservations. Que puis-je pour vous ?
— Je voudrais faire une réservation pour un vol Denver-Miami le 10 avril.
— Un instant, s'il vous plaît. Vous souhaitez voyager à un moment précis de la journée ?
— Je préférerais un vol tôt le matin, si possible.
— Il y a un vol direct pour Miami qui part à 7 h 22 ; il arrive à 11 h 50, heure locale.
— C'est parfait.
— Votre nom de famille ?
— Fischbach.
— L'initiale de votre prénom ?
— P comme dans papa.
— Vous souhaitez réserver le retour dès maintenant ?
— Non, merci. Je ne suis pas sûr de ma date de retour.
— O.K., monsieur Fischbach. Votre place est réservée sur le vol TP 992 de Denver à Miami, qui part de Denver à 7 h 22 et arrive à Miami à 11 h 50. Présentez-vous à l'enregistrement au plus tard trente minutes avant le décollage.
— O.K.
— Puis-je faire autre chose pour vous aujourd'hui ?
— Non, merci.
— Merci d'avoir appelé Transplanet. Au revoir.

4. Téléphoner à un office du tourisme

— Ici l'office du tourisme de Boston, bonjour.
— Je serai à Boston le mois prochain et j'appelle pour vous demander de m'envoyer des dépliants d'information. J'aimerais un plan de la ville, une liste d'hôtels au centre ville et toute information dont vous pouvez disposer concernant les expositions en cours.
— Bien, monsieur, nous nous ferons un plaisir de vous envoyer notre brochure complète d'information. Pouvez-vous me donner votre nom et votre adresse ?
— Je m'appelle Pierre Dubousquet.
— Pouvez-vous épeler votre nom de famille ?

3. Reserving a seat on a flight

— Transplanet Airlines. Reservations. May I help you ?
— Yes, I'd like to book a seat on a flight from Denver to Miami on April 10.
— One moment please... Is there any special time of day you'd like to fly ?
— I'd like an early morning flight if possible.
— There's one at 7:22, nonstop to Miami, arriving at 11:50 local time.
— That'll be fine.
— Your last name please.
— Fischbach.
— And your first initial ?
— P as in Papa.
— Would you like to book a return flight now ?
— No thank you. I'm not sure of my return date.
— O.K., Mr Fischbach. You're booked on TP flight 992 from Denver to Miami, leaving Denver at 7:22, arriving in Miami at 11:50. Please check in no later than thirty minutes before flight time.
— O.K.
— Is there anything else I can do for you today ?
— That's all. Thank you.
— Thank you for calling Transplanet. Good-bye.

4. Tourist Information Office

— Boston Tourist Information. Good morning.
— I'll be in Boston next month and I'm calling to ask if you could send me a few brochures. I'd like a map of the city, information on downtown hotels and any information you might have on current exhibitions.
— Yes, sir. I'll be glad to send you an information packet. Could I have your name and address ?
— My name is Pierre Dubousquet.
— Could you please spell your last name ?

— J'épelle : D-U-B-O-U-S-Q-U-E-T.
— Et votre adresse ?
— 145, cours de la Libération, cours s'épelle C-O-U-R-S, à Dijon, France. Le code postal est 21000.
— Merci. Je fais partir la documentation tout de suite.
— Merci beaucoup. Au revoir.

5. Prendre rendez-vous

— Ici les Laboratoires Winston, bonjour.
— Passez-moi le bureau de M. Jarvy, je vous prie.
— Un instant.
— Ici le bureau de M. Jarvy.
— C'est Marcel Delhaye de la Société Disi à Grenoble, en France. M. Jarvy m'a demandé de l'appeler la prochaine fois que j'étais à Pittsburgh. J'aimerais prendre rendez-vous avec lui mardi ou mercredi de la semaine prochaine.
— Bien sûr, monsieur Delhaye, je vérifie son emploi du temps... M. Jarvy est libre mardi matin. Est-ce que 10 heures vous conviendrait ?
— Ça serait parfait. Merci.
— Très bien. Vous savez nous trouver ?
— Eh bien, je n'en suis pas sûr !
— Le bureau de M. Jarvy se trouve dans le bâtiment B qui est situé à votre gauche en arrivant par l'entrée principale. Nous sommes au 3e étage.
— Merci de ces précisions. Au revoir.
— Au revoir.

6. Demander des renseignements

— Ici la Société d'Électricité Simpson. Bonjour.
— Je souhaiterais parler à quelqu'un du service expédition, s'il vous plaît.
— Un instant, je vous prie.
— Service expédition. Jane Pawley à l'appareil.
— Allô, Société Disi, j'appelle de Grenoble, en France. Nous sommes toujours en attente d'un envoi d'interrupteurs que nous devions recevoir la semaine dernière.
— Ah ! je vous demande quelques instants, je regarde. Avez-vous le numéro de commande ?

— It's D-U-B-O-U-S-Q-U-E-T.
— And your address ?
— 145, cours de la Libération. Cours is spelled C-O-U-R-S. Dijon, France. The postal code is 21000.
— Thank you. We'll send that out right away.
— Thank you. Good-bye.

5. Making an appointment

— Winston Laboratories, good morning.
— Mr Jarvy's office please.
— One moment please.
— Mr Jarvy's office, may I help you ?
— This is Marcel Delhaye from Disi Industries in Grenoble, France. Mr Jarvy asked me to call him the next time I was in Pittsburgh. I'd like to make an appointment with him next Tuesday or Wednesday.
— Certainly, Mr Delhaye. Let me just check his schedule... Mr Jarvy is free on Tuesday morning. Would 10:00 be all right with you ?
— That'd be fine. Thank you very much.
— You're welcome. Are you familiar with our location ?
— No, I'm afraid I'm not.
— Mr Jarvy's office is located in Building B — it's to your left as you come through the main gate. We're on the third floor.
— Thank you for your help. Good-bye.
— Good-bye.

6. Making an inquiry

— Simpson Electrics. May I help you ?
— I'd like to speak with someone from the Shipping Department please.
— One moment please.
— Shipping Department. Jane Pawley.
— Hello ! I'm calling from Disi Industries in Grenoble, France. We're still waiting for a shipment of switches that we were to receive last week.
— Oh ! Let me see what I can find out about that. Do you have your order number ?

— Oui, c'est le 3935-Y.
— Puis-je vous demander de patienter pendant que j'interroge l'ordinateur ?
— O.K.
— Merci de votre patience, monsieur. D'après notre dossier, l'envoi est parti jeudi 17 janvier. Vous savez que les énormes chutes de neige de la semaine dernière ont causé de nombreux problèmes d'acheminement et votre envoi aura simplement été retardé. Puis-je vous suggérer de patienter encore trois à cinq jours et si, à ce moment-là, vos interrupteurs ne sont toujours pas arrivés, de nous rappeler ?
— D'accord. Mais pas plus de trois jours.
— Merci de votre compréhension. Je m'appelle Jane Pawley. Vous pouvez m'appeler au poste 46-49 directement.
— Merci. Au revoir.

7. Passer une commande

— Ici Scott et Barnes.
— Je voudrais commander un gant de base-ball. Il est dans votre catalogue de printemps.
— Vous avez la référence, madame ?
— Oui, c'est le 992 3005 14.
— Ce modèle coûte 32,40 dollars.
— C'est bien cela.
— Pouvez-vous me donner votre nom et votre adresse ?
— Je m'appelle Lauren Thomson et j'habite au 16, rue Voltaire, à Nantes, en France. Le code postal est 44000. Vous expédiez à l'étranger ?
— Bien sûr. Pour un paquet de cette taille, vous avez le choix entre un envoi par bateau, par avion ou en express.
— Quel est le supplément pour l'envoi en express ?
— 12,50 dollars.
— Ça va. Expédiez-le en express.
— Pour les envois à l'étranger, nous n'acceptons que le paiement par carte bancaire.
— J'ai une carte Vista. Son numéro est le 884 922 1069.
— Très bien, madame Thomson. Votre commande est enregistrée. Vous la recevrez dans quatre jours environ. Vous souhaitez commander autre chose ?
— C'est tout, merci.
— Scott et Barnes vous remercie. Au revoir.
— Au revoir.

— Yes, it's 3935-Y.
— May I put you on hold while I check my computer ?
— O.K.
— Thank you for waiting, sir. Our records show that your shipment was sent on Thursday, January 17. However, heavy snowstorms last week caused enormous traffic problems and your shipment may have been simply delayed. May I suggest you wait another three or five days, and if your switches still haven't arrived, call us back.
— O.K. But no more than three days.
— Thank you for your comprehension. My name is Jane Pawley. You may contact me directly at extension 46-49.
— Thank you. Good-bye.

7. Placing an order

— Scott and Barnes. May I help you ?
— Yes, I'd like to place an order for a baseball glove. It's in your spring catalogue.
— Do you have the reference number, ma'am ?
— Yes, it's 992 3005 14.
— That model is listed at $32.40.
— That's right.
— May I have your name and address please ?
— My name is Lauren Thomson. The address is 16, rue Voltaire, Nantes, France. The postcode is 44000. Do you ship overseas ?
— Yes. For a package that size, you have a choice of surface mail, air mail, or express delivery.
— How much extra is express delivery ?
— $12.50.
— O.K. Send it express.
— We accept only credit card purchases for overseas delivery.
— I have a Vista card. The number is 884 922 1069.
— All right, Mrs Thomson. Your order has been recorded. You can expect delivery in four days. Is there anything else we can do for you today ?
— That's all. Thank you.
— Thank you for calling Scott and Barnes. Good-bye.
— Good-bye.

EXERCICES

EXERCISES

A - Réserver une chambre d'hôtel - *Hotel reservation*
B - Réserver un billet d'avion - *Airline reservation*
C - Prendre rendez-vous - *Making an appointment*
D - Office du tourisme - *Tourist Information Office*
E - Résoudre un problème - *Making an inquiry*
F - Passer une commande - *Placing an order*

Maintenant que vous avez étudié les différentes étapes d'une conversation téléphonique, il est temps pour vous de faire quelques appels téléphoniques. Dans chaque conversation présentée ci-dessous, une moitié seulement de la conversation (le rôle de la personne que vous appelez) a été enregistrée sur la cassette. Chaque question ou chaque intervention sur la cassette est suivie d'une pause suffisamment longue pour que vous ayez le temps de formuler vos réponses ou vos questions. Utilisez les éléments donnés ci-dessous comme s'il s'agissait de vos propres notes. Faites des phrases aussi complètes que possible, soyez clair et courtois.

Now that you have seen the steps in a telephone conversation, it's time for you to make a few calls. For each situation below, half of the conversation (the role of the person you're calling) has been recorded on the cassette. A blank is provided on the cassette after each question or comment to give you time to formulate your responses or questions. Use the elements you are given just as you would use your own notes. Speak in complete sentences as much as possible, be clear, and be polite.

10 Exercices

A. Réserver une chambre d'hôtel

Vous appelez le motel Morning Glory à Denver, dans le Colorado, pour réserver une chambre. (Utilisez votre nom personnel dans les répliques 3 et 4.)

1. réserver une chambre double ; 1, 2, 3 mai
2. aéroport
3. Herbeau
4. H-E-R-B-E-A-U
5. transport : terminal au motel ?
6. arriverai tard. Retenir la chambre jusqu'à 22 heures ?
7. carte Vista. Numéro 396 554 8891
8. c'est tout. Merci

— Motel Morning Glory à votre service.
— ...
— Il y a deux motels Morning Glory à Denver. Préférez-vous celui situé au centre ville ou celui de l'aéroport ?
— ...
— Un instant, monsieur... Oui, nous avons une chambre disponible. Puis-je avoir votre nom ?
— ...
— Pouvez-vous l'épeler, s'il vous plaît ?
— ...
— Merci, monsieur. Une chambre vous est réservée pour trois nuits à partir du 1er mai.
— ...
— Nous avons un service de navette à partir des terminaux de l'aéroport. Allez au bureau de l'information dans le hall de retrait des bagages. Vous y verrez notre téléphone avec ligne directe pour appeler la voiture de l'hôtel.
— ...
— Aucun problème, monsieur. Mais j'ai besoin d'un numéro de carte de crédit pour pouvoir retenir une chambre après 18 heures.
— ...
— Merci, monsieur. Puis-je faire autre chose pour vous ?
— ...
— Merci d'avoir appelé Morning Glory.

Corrigés, p. 136-137

10 Exercises

A. Hotel Rcservation

You're calling the Morning Glory Motel in Denver, Colorado, to reserve a room. (Use your own name in steps 3 and 4.)

1. reserve double room ; May 1, 2, 3
2. airport
3. Herbeau
4. H-E-R-B-E-A-U
5. transportation : airport terminal to motel ?
6. be arriving late. Hold room till 10.00 ?
7. Vista card. Number 396 554 8891
8. that's all. Good-bye

— Morning Glory Motel. May I help you ?
— ...
— Morning Glory has two locations in Denver. Would you prefer the downtown or the airport motel ?
— ...
— One moment, sir... Yes, we have a room available. May I have your name, please ?
— ...
— Could you spell that, please ?
— ...
— Thank you, sir. Your room is reserved for three nights beginning May 1.
— ...
— We provide a shuttle service from the airport terminals. Just go to the information desk at the baggage claim. You'll see our direct-line phone. You can use it to call the motel limousine.
— ...
— Yes, sir. That's possible, but I'll need a credit card number to hold the room past 6:00 p.m.
— ...
— Thank you, sir. Is there anything else I can do for you today ?
— ...
— Thank you for calling Morning Glory.

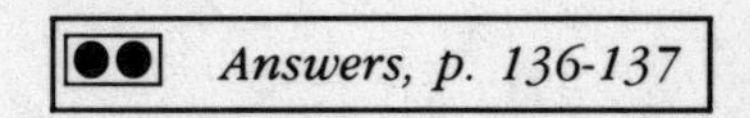
Answers, p. 136-137

Exercices

B. Réserver un billet d'avion

Vous appelez la compagnie Transplanet pour réserver une place sur le vol New York-Los Angeles. (Utilisez votre nom personnel dans les répliques 4 et 5.

1. réserver 1 place - vol New York-L.A. - 9 septembre.
2. fin d'après-midi - partir de New York après 18 heures
3. O.K.
4. Durand
5. G comme Georges
6. affaires
7. répéter numéro du vol
8. Non - ne connais pas date de retour
9. merci

— Compagnie Transplanet, j'écoute.
— ...
— Un instant, je vous prie... Souhaiteriez-vous partir à un moment particulier de la journée ?
— ...
— J'ai un vol à 19 h 10, qui arrive à Los Angeles à 20 h 35, heure locale.
— ...
— Puis-je avoir votre nom de famille ?
— ...
— Et l'initiale de votre prénom ?
— ...
— Vous voyagez en première classe, en classe affaires ou en classe touriste ?
— ...
— Très bien, monsieur Durand. Vous avez une place le 9 septembre sur le vol Transplanet 591 qui part de New York, aéroport La Guardia, à 19 h 10 et arrive à Los Angeles à 20 h 35.
— ...
— Il s'agit du vol Transplanet 591. Voulez-vous réserver le retour dès maintenant ?
— ...
— Très bien. N'oubliez pas que votre vol part de l'aéroport La Guardia et que vous devez vous présenter au comptoir d'enregistrement au plus tard trente minutes avant le départ du vol.
— ...
— Transplanet vous remercie de votre appel.

Corrigés, p. 138-139

10 Exercises

B. Airline Reservation

You're calling Transplanet Airlines to reserve a seat from New York to Los Angeles. (Use your own name in steps 4 and 5.)

1. reserve seat - flight New York to Los Angeles - September 9
2. early evening - leave New York after 6:00 p.m.
3. O.K.
4. Durand
5. G as in George
6. business
7. repeat flight number please
8. no - don't know return date
9. thank you

— Transplanet Airlines. May I help you ?
— ...
— One moment, please... Is there any special time you prefer to fly ?
— ...
— I have a flight at 7:10, arriving in Los Angeles at 8:35 p.m. local time.
— ...
— May I have your last name please ?
— ...
— And your first initial ?
— ...
— Will this be first class, business, or economy class ?
— ...
— All right, Mr Durand. Your seat is reserved for September 9 on Transplanet flight 591 leaving New York La Guardia Airport at 7:10 p.m., arriving in Los Angeles at 8:35.
— ...
— That's Transplanet flight 591. Would you like to reserve a return flight now ?
— ...
— O.K., Mr Durand. Please remember that your flight leaves from La Guardia Airport and that you must arrive at the check-in desk no later than thirty minutes before flight time.
— ...
— Thank you for calling Transplanet.

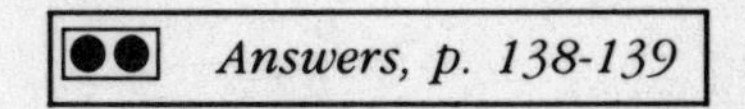
Answers, p. 138-139

Exercices

C. Prendre rendez-vous

Vous serez en voyage d'affaires à Atlanta, en Georgie, la semaine prochaine. Vous appelez l'Électronique Simpson à Atlanta pour prendre rendez-vous avec Bob Bronson. (Utilisez votre nom personnel et le nom de votre société dans la réplique 2.)

1. le secrétariat de Bob Bronson
2. Pierre Durand - Compagnie Coral - Bordeaux, France - à Atlanta - semaine prochaine - prendre rendez-vous avec M. Bronson.
3. jeudi après-midi.
4. O.K.
5. au revoir

— Ici Électronique Simpson. Bonjour.
— ...
— Un instant, merci.
— Ici le secrétariat de M. Bronson.
— ...
— Voyons... M. Bronson a des disponibilités mardi matin ou jeudi après 15 heures. L'une de ces deux dates vous conviendrait-elle ?
— ...
— Très bien. Nous disons donc 15 heures ?
— ...
— Eh bien, monsieur Durand, nous vous attendrons donc jeudi 7 février à 15 heures.
— ...
— Au revoir.

Corrigés, p. 140-141

10

Exercises

C. Making an appointment

You'll be in Atlanta, Georgia, next week on business. You're calling Simpson Electronics in Atlanta, to make an appointment with Bob Bronson. (Use your own name and your own company's name in step 2.)

1. Bob Bronson's office
2. Pierre Durand - Compagnie Coral - Bordeaux, France - in Atlanta - next week - make appointment with Mr Bronson
3. Thursday afternoon
4. O.K.
5. good-bye

— Simpson Electronics. Good morning.
— ...
— One moment.
— Mr Bronson's office. May I help you ?
— ...
— Let me see... Mr Bronson has some free time on Tuesday morning or on Thursday afternoon after 3:00. Would either of those times be convenient for you ?
— ...
— Good. Shall we say 3:00 then ?
— ...
— All right, Mr Durand. We'll look forward to seeing you on Thursday, February 7 at 3:00.
— ...
— Good-bye.

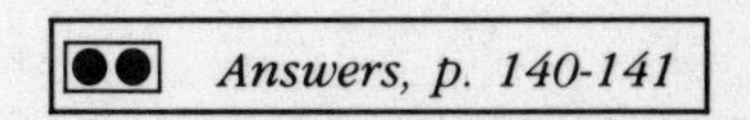
Answers, p. 140-141

D. Office du tourisme

Vous allez passer le mois d'août à Phoenix, dans l'Arizona, pour raisons professionnelles. Vous souhaitez ensuite passer une semaine à faire du tourisme dans la région. Vous appelez l'office du tourisme de Phoenix pour leur demander de vous envoyer des dépliants d'information. (Utilisez votre nom et votre adresse personnels dans les répliques 2, 3, 4.)

1. Phoenix - août - raisons professionnelles - ensuite une semaine de tourisme - information sur les choses à voir autour de Phoenix - liste de motels - campings
2. Pierre Durand
3. D-U-R-A-N-D
4. 22, rue Rabelais, 75005 Paris, France
5. au revoir

— Office du tourisme de Phoenix, bonjour.
— ...
— Bien sûr. Je vous envoie un ensemble de brochures sur Phoenix et le nord de l'Arizona. Pouvez-vous me donner votre nom et votre adresse ?
— ...
— Pouvez-vous épeler votre nom de famille, s'il vous plaît ?
— ...
— Et votre adresse ?
— ...
— Merci. Je fais le nécessaire pour que ça parte tout de suite.
— ...

Corrigés, p. 140-141

10 Exercises

D. Tourist Information Office

You'll be spending the month of August in Phoenix, Arizona, on business. You'd like to travel in the area for a week afterwards. You're calling the tourist information in Phoenix to ask them to send you some brochures. (Use your own name and address in steps 2, 3, 4.)

1. in Phoenix - August - for business - then one week travelling - information on things to see Phoenix area - list of motels, campgrounds
2. Pierre Durand
3. D-U-R-A-N-D
4. 22, rue Rabelais, 75005 Paris, France
5. good-bye

— Phoenix Tourist Information. Good afternoon.
— ...
— Yes sir. I'll be glad to send you an information package on Phoenix and Northern Arizona. May I have your name and address ?
— ...
— Could you spell your last name please ?
— ...
— And your address ?
— ...
— Thank you. I'll make sure it gets sent out immediately.
— ...

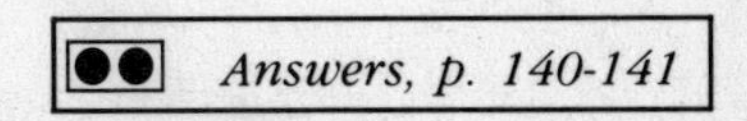
Answers, p. 140-141

Exercices

E. Résoudre un problème

Vous avez réglé votre abonnement au magazine *Tempo* il y a plus d'un mois, mais vous n'avez encore reçu aucun numéro. Vous appelez le magazine *Tempo* pour savoir ce qui se passe. (Utilisez votre nom personnel dans la réplique 3.)

1. service des abonnements
2. appelle au sujet d'un abonnement - envoyé le 25 avril - reçu aucun numéro
3. Pierre Durand - D-U-R-A-N-D
4. Non !! 57, rue de la Poste.
5. prolonger l'abonnement ?
6. oui
7. O.K. Au revoir

— Magazine *Tempo*, j'écoute.
— ...
— Un instant, je vous prie.
— Ici le service abonnements. Claudia Wolosin à l'appareil.
— ...
— Je suis désolée. Laissez-moi interroger l'ordinateur... Pouvez-vous me donner votre nom, s'il vous plaît ?
— ...
— Voilà, j'ai bien votre abonnement. Vous devriez recevoir votre magazine régulièrement. Vous habitez toujours au 51, rue de la Poste, à Strasbourg en France ?
— ...
— Ah, voilà le problème ! Je suis navrée de cette erreur, monsieur. Je fais modifier votre adresse tout de suite.
— ...
— Bien sûr. Je le prolonge de trois mois. Cela vous va ?
— ...
— Merci à vous et excusez-nous encore !
— ...
— Au revoir.

Corrigés, p. 142-143

Exercises

E. Making an inquiry

You paid for a subscription to *Tempo Magazine* more than a month ago, but you still aren't receiving your magazines. You're calling *Tempo Magazine* to find out what the problem is. (Use your own name in step 3.)

1. Subscriptions Department
2. call about subscription - sent April 25 - magazine still not received
3. Pierre Durand - D-U-R-A-N-D
4. No !! 57, rue de la Poste
5. Subscription extended ?
6. Yes
7. O.K. Good-bye

— *Tempo Magazine.* May I help you ?
— ...
— One moment, please.
— Subscriptions Department. Claudia Wolosin.
— ...
— Oh, I'm sorry. Let me check my computer records... May I have your name please ?
— ...
— Yes, I see your subscription here. You should be receiving your magazine regularly. Is your address still 51, rue de la Poste in Strasbourg, France ?
— ...
— Then that's the problem. I'm very sorry about this mix-up sir. I'll make the address change immediately.
— ...
— Of course. I'll extend it for an additional three months. Will that be all right ?
— ...
— Thank you sir, and again, please accept our apologies for this error.
— ...
— Good-bye.

Answers, p. 142-143

Exercices

F. Passer une commande

Vous appelez la société Brewer et Ramsey pour passer commande de la machine à traduire de poche que vous avez vue dans leur catalogue d'hiver. (Utilisez votre nom et votre adresse personnels dans la réplique 4.)

1. passer commande - machine à traduire de poche - page 28 - catalogue d'hiver
2. B 519 6334
3. oui
4. Pierre Durand, 22, rue Rabelais, 75005 Paris, France.
5. possibilités ?
6. en express par avion
7. carte Vista 884 763 9221
8. non. Au revoir

— Brewer et Ramsey, bonjour.
— ...
— Vous avez la référence ?
— ...
— Le prix de cet article est de 59,95 dollars.
— ...
— Puis-je avoir votre nom et votre adresse ?
— ...
— Comment souhaitez-vous que votre marchandise soit expédiée ?
— ...
— Le prix du catalogue comprend les frais d'envoi par voie normale. Mais pour les expéditions à l'étranger, cela peut prendre du temps. Pour 8 dollars de plus, nous pouvons l'expédier en express par avion.
— ...
— Nous n'acceptons que les cartes de crédit.
— ...
— Très bien, monsieur. Votre commande est enregistrée. Vous serez livré dans trois ou quatre jours. Puis-je faire autre chose pour vous ?
— ...

Corrigés, p. 144-145

Exercises

F. Placing an order

You're calling Brewer and Ramsey to order the pocket translator you saw in their winter catalogue. (Use your own name and address in step 4.)

1. place order - pocket translator - page 28 - winter catalogue
2. B 519 6334
3. yes
4. Pierre Durand, 22, rue Rabelais, 75005 Paris, France.
5. what available ?
6. air express
7. Vista card 884 763 9221
8. no. Good-bye

— Brewer and Ramsey. Good afternoon.
— ...
— Do you have the reference number ?
— ...
— The price on that translator is $59.95.
— ...
— May I have your name and address ?
— ...
— How do you want your merchandise shipped ?
— ...
— The price includes shipping by regular mail. But for overseas that might take a long time. For $8 extra, we'll send it air express.
— ...
— We accept payment by credit card only.
— ...
— All right, sir. Your order is recorded. You can expect delivery in about four days. Can I help you with anything else today ?
— ...

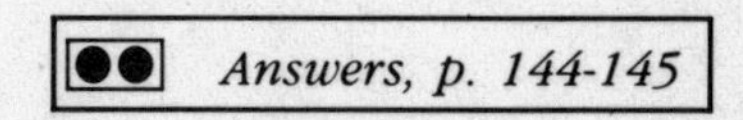
Answers, p. 144-145

10 Corrigés

A. Réserver une chambre d'hôtel

— Motel Morning Glory à votre service.
— **J'aimerais réserver une chambre double pour le 1er, le 2 et le 3 mai.**
— Il y a deux motels Morning Glory à Denver. Vous voulez celui situé au centre ville ou celui de l'aéroport ?
— **Celui de l'aéroport, s'il vous plaît.**
— Un instant, monsieur... Oui, nous avons une chambre disponible. Puis-je avoir votre nom ?
— **Herbeau.**
— Pouvez-vous l'épeler, s'il vous plaît ?
— **H-E-R-B-E-A-U.**
— Merci, monsieur. Une chambre vous est réservée pour trois nuits à partir du 1er mai.
— **Pouvez-vous me dire comment aller de l'aéroport au motel ?**
— Nous avons un service de navette à partir des terminaux de l'aéroport. Vous allez au bureau d'information dans le hall de retrait des bagages. Vous y verrez notre téléphone avec ligne directe. Vous pouvez vous en servir pour appeler la voiture de l'hôtel.
— **J'arriverai tard. Pouvez-vous garder la chambre jusqu'à 22 heures ?**
— Sans problème, monsieur. Mais j'ai besoin d'un numéro de carte de crédit pour pouvoir retenir une chambre après 18 heures.
— **J'ai une carte Vista. Son numéro est le 396 554 8891.**
— Merci, monsieur. Puis-je faire autre chose pour vous ?
— **C'est tout, merci. Au revoir.**
— Merci d'avoir appelé Morning Glory.

10 Answers

A. Hotel Reservation

— Morning Glory Motel. May I help you ?
— **Yes, I'd like to reserve a double room for May 1, 2 and 3.**
— Morning Glory has two locations in Denver. Would you prefer the downtown or the airport motel ?
— **The airport motel, please.**
— One moment, sir... Yes, we have a room available. May I have your name, please ?
— **Herbeau.**
— Could you spell that, please ?
— **It's H-E-R-B-E-A-U.**
— Thank you, sir. Your room is reserved for three nights beginning May 1.
— **Could you tell me how to get from the airport terminals to the motel ?**
— We provide a shuttle service from the airport terminals. Just go to the information desk at the baggage claim. You'll see our direct-line phone. You can use it to call the motel limousine.
— **I'll be arriving late. Will you hold the room until 10:00 ?**
— Yes, sir. That's possible, but I'll need a credit card number to hold the room past 6:00 p.m.
— **I have a Vista card. The number is 396 554 8891.**
— Thank you, sir. Is there anything else I can do for you today ?
— **That's all. Thank you. Good-bye.**
— Thank you for calling Morning Glory.

Corrigés

B. Réserver un billet d'avion

— Compagnie Transplanet, j'écoute.
— **J'aimerais réserver une place sur un vol New York-Los Angeles le 9 septembre.**
— Un instant, je vous prie... Souhaiteriez-vous partir à un moment particulier de la journée ?
— **Je préférerais un vol en fin d'après-midi, qui partirait de New York après 18 heures.**
— J'ai un vol à 19 h 10, qui arrive à Los Angeles à 20 h 35, heure locale.
— **C'est parfait.**
— Puis-je avoir votre nom de famille ?
— **Durand.**
— Et l'initiale de votre prénom ?
— **G comme Georges.**
— Vous voyagez en première classe, en classe affaires ou en classe touriste ?
— **En classe affaires.**
— Très bien, monsieur Durand. Vous avez une place le 9 septembre sur le vol Transplanet 591 qui part de New York, aéroport La Guardia, à 19 h 10 et arrive à Los Angeles à 20 h 35.
— **Pouvez-vous répéter le numéro du vol, s'il vous plaît ?**
— Il s'agit du vol Transplanet 591. Voulez-vous réserver le retour dès maintenant ?
— **Non, merci. Je ne suis pas encore sûr de ma date de retour.**
— Très bien. N'oubliez pas que votre vol part de l'aéroport La Guardia et que vous devez vous présenter au comptoir d'enregistrement au plus tard trente minutes avant le départ du vol.
— **Merci beaucoup.**
— Transplanet vous remercie de votre appel.

Answers

B. Airline Reservation

— Transplanet Airlines. May I help you ?
— **I'd like to reserve a seat on a flight from New York to Los Angeles on September 9.**
— One moment, please... Is there any special time you prefer to fly ?
— **I'd prefer an early evening flight, something leaving New York after 6:00 p.m.**
— I have a flight at 7:10, arriving in Los Angeles at 8:35 p.m. local time.
— **That'll be fine.**
— May I have your last name please ?
— **Durand.**
— And your first initial ?
— **G as in George.**
— Will this be first class, business, or economy class ?
— **Business class, please.**
— All right, Mr Durand. Your seat is reserved for September 9 on Transplanet flight 591 leaving New York La Guardia Airport at 7:10 p.m., arriving in Los Angeles at 8:35.
— **Could you repeat that flight number please ?**
— That's Transplanet flight 591. Would you like to reserve a return flight now ?
— **No thank you. I'm not sure of my return date yet.**
— O.K., Mr Durand. Please remember that your flight leaves from La Guardia Airport and that you must arrive at the check-in desk no later than thirty minutes before flight time.
— **Thank you very much.**
— Thank you for calling Transplanet.

C. *Prendre rendez-vous*

— Ici Électronique Simpson, bonjour.
— **Pourriez-vous me passer le secrétariat de Bob Bronson, s'il vous plaît ?**
— Un instant, merci.
— Ici le secrétariat de M. Bronson.
— **Pierre Durand à l'appareil, de la Compagnie Coral de Bordeaux en France. Je serai à Atlanta pour affaires la semaine prochaine et j'aimerais prendre rendez-vous avec M. Bronson.**
— Voyons... M. Bronson a des disponibilités mardi matin ou jeudi après 15 heures. L'une de ces deux dates vous conviendrait-elle ?
— **C'est jeudi après-midi qui me conviendrait le mieux.**
— Très bien. Nous disons donc 15 heures ?
— **Parfait.**
— Eh bien, monsieur Durand, nous vous attendrons donc jeudi 7 février à 15 heures.
— **Merci beaucoup. Au revoir.**
— Au revoir.

D. *Bureau de l'office du tourisme*

— Office du tourisme de Phoenix, bonjour.
— **Bonjour. J'aimerais quelques renseignements. Je serai à Phoenix en voyage d'affaires en août prochain et ensuite j'aimerais faire du tourisme dans les environs pendant une semaine. Est-ce que vous avez des renseignements sur la région de Phoenix : des cartes, les choses à voir, des listes de motels et aussi de terrains de camping ?**
— Bien sûr. Je vous envoie un ensemble de brochures sur Phoenix et le nord de l'Arizona. Pouvez-vous me donner votre nom et votre adresse ?
— **Je m'appelle Pierre Durand.**
— Pouvez-vous épeler votre nom de famille, s'il vous plaît ?
— **Voilà : D-U-R-A-N-D.**
— Et votre adresse ?
— **22, rue Rabelais, Paris, France. Le code postal est 75005.**
— Merci. Je fais le nécessaire pour que ça parte tout de suite.
— **Merci beaucoup. Au revoir.**

C. *Making an appointment* ●●

— Simpson Electronics. Good morning.
— **Could you connect me to Bob Bronson's office, please ?**
— One moment.
— Mr Bronson's office. May I help you ?
— **This is Pierre Durand from Compagnie Coral in Bordeaux, France. I'll be in Atlanta on business next week, and I'd like to make an appointment with Mr Bronson.**
— Let me see... Mr Bronson has some free time on Tuesday morning or on Thursday afternoon after 3:00. Would either of those times be convenient for you ?
— **Thursday afternoon would be best for me.**
— Good. Shall we say 3:00 then ?
— **That's fine.**
— All right, Mr Durand. We'll look forward to seeing you on Thursday, February 7 at 3:00.
— **Thank you very much. Good-bye.**
— Good-bye. ●●

D. *Tourist Information Service* ●●

— Phoenix Tourist Information. Good afternoon.
— **Good afternoon. I'm calling for some information. I'll be in Phoenix on business in August, and I'd like to spend a week travelling around the area afterwards. I'd like to know if you have any information on the Phoenix area : maps, things to see, lists of motels and also campgrounds.**
— Yes sir. I'll be glad to send you an information package on Phoenix and Northern Arizona. May I have your name and address ?
— **My name is Pierre Durand.**
— Could you spell your last name please ?
— **Yes, that's D-U-R-A-N-D.**
— And your address ?
— **22, rue Rabelais, Paris, France. The postal code is 75005.**
— Thank you. I'll make sure it gets sent out immediately.
— **Thank you very much. Good-bye.** ●●

Corrigés

E. Problème à résoudre

— Magazine *Tempo*, j'écoute.
— **Je souhaiterais parler à une personne du service abonnements.**
— Un instant, je vous prie.
— Ici le service abonnements. Claudia Wolosin à l'appareil.
— **J'appelle au sujet d'un abonnement que j'ai souscrit le 25 avril. Je n'ai toujours pas reçu de numéro.**
— Je suis désolée. Laissez-moi interroger l'ordinateur... Pouvez-vous me donner votre nom, s'il vous plaît ?
— **Pierre Durand. J'épelle : D-U-R-A-N-D.**
— Voilà, j'ai bien votre abonnement. Vous devriez recevoir votre magazine régulièrement. Vous habitez toujours au 51, rue de la Poste, à Strasbourg en France ?
— **Non, j'habite au 57, rue de la Poste.**
— Ah, voilà le problème ! Je suis navrée de cette erreur, monsieur. Je modifie votre adresse tout de suite.
— **Pouvez-vous prolonger mon abonnement ? Je paye depuis quelque temps pour quelque chose que je ne reçois pas.**
— Bien sûr. Je le prolonge de trois mois. Cela vous va ?
— **Merci beaucoup.**
— Merci à vous et excusez-nous encore !
— **Ce n'est pas grave. Au revoir.**
— Au revoir.

Answers

E. Making an inquiry

●●

— *Tempo Magazine.* May I help you ?
— **I'd like to speak to someone from the Subscriptions Department, please.**
— One moment, please.
— Subscriptions Department. Claudia Wolosin.
— **I'm calling about a subscription I sent on April 25. I still haven't received the magazine.**
— Oh, I'm sorry. Let me check my computer records... May I have your name please ?
— **Pierre Durand. That's D-U-R-A-N-D.**
— Yes, I see your subscription here. You should be receiving your magazine regularly. Is your address still 51, rue de la Poste in Strasbourg, France ?
— **No. It's 57, rue de la Poste.**
— Then that's the problem. I'm very sorry about this mix-up sir. I'll make the address change immediately.
— **Will you extend my subscription ? I've been paying for something I haven't received.**
— Of course. I'll extend it for an additional three months. Will that be all right ?
— **Yes, thank you.**
— Thank you sir, and again, please accept our apologies for this error.
— **That's all right. Good-bye.**
— Good-bye. ●●

Corrigés

F. Passer une commande

— Brewer et Ramsey, bonjour.
— **J'aimerais commander la machine à traduire de poche qui se trouve à la page 28 de votre catalogue d'hiver.**
— Vous avez la référence ?
— **Oui, c'est le B 519 6334.**
— Le prix de cet article est de 59,95 dollars.
— **C'est bien ça.**
— Puis-je avoir votre nom et votre adresse ?
— **Je m'appelle Pierre Durand. J'épelle : D-U-R-A-N-D. J'habite au 22, rue Rabelais à Paris, en France. Le code postal est 75005.**
— Comment souhaitez-vous que votre marchandise soit expédiée ?
— **Quelles sont les possibilités ?**
— Le prix du catalogue comprend les frais d'envoi par voie normale. Mais pour les expéditions à l'étranger, cela peut prendre du temps. Pour 8 dollars de plus, nous pouvons l'expédier en express par avion.
— **Envoyez-le en express par avion.**
— Nous n'acceptons que les cartes de crédit.
— **J'ai une carte Vista. Le numéro est le 884 763 9221.**
— Très bien, monsieur. Votre commande est enregistrée. Vous serez livré dans trois ou quatre jours. Puis-je faire autre chose pour vous ?
— **Non, c'est tout, merci. Au revoir.**

F. Placing an order

— Brewer and Ramsey. Good afternoon.
— **I'd like to place an order for the pocket translator that's on page 28 of your winter catalogue.**
— Do you have the reference number ?
— **Yes, it's B 519 6334.**
— The price on that translator is $59.95.
— **That's right.**
— May I have your name and address ?
— **I'm Pierre Durand. That's spelled D-U-R-A-N-D. My address is 22, rue Rabelais in Paris, France. The postal code is 75005.**
— How do you want your merchandise shipped ?
— **What kind of shipping is available ?**
— The price includes shipping by regular mail. But for overseas that might take a long time. For $8 extra, we'll send it air express.
— **I'll take air express.**
— We accept payment by credit card only.
— **I have a Vista card. The number is 884 763 9221.**
— All right, sir. Your order is recorded. You can expect delivery in about four days. Can I help you with anything else today ?
— **No, that'll be all, thank you. Good-bye.**

Lexiques
Vocabulary

A Lexique général du téléphone
General telephone vocabulary

B Lexique spécialisé
Specific vocabulary

- Hôtel
  Hotel
- Avion
  Airplane
- Informations météorologiques
  Weather forecast
- Location de voiture
  Car rental

A Lexique général
General vocabulary

1. le matériel	**1. equipment**
un appareil téléphonique	*a telephone*
un téléphone à touches	*a touch tone phone*
un téléphone à cadran	*a dial phone / a rotary phone*
composer un numéro	*to dial a number (new technology, old vocabulary !)*
un récepteur	*a receiver / a handset* (GB)
un cadran	*a dial*
2. le téléphone public	**2. public phones**
une cabine téléphonique	*a phone booth*
une cabine payante	*a pay phone*
un appareil à pièces	*a coin phone*
un appareil à carte	*a credit card phone*
la tonalité demandant le paiement	*pay tone*
bips rapprochés	*rapid pips*
introduire les pièces	*to insert coins*
3. les services téléphoniques	**3. telephone services**
un central	*an exchange*
un opérateur / une opératrice	*an operator*
un standard téléphonique	*a switchboard*
service consommateurs	*customer service*
service relations clientèle	*customer relations office*
service des renseignements	*directory enquiries* (GB) / *directory assistance* (US)
un annuaire	*a phone book / a directory*
chercher un numéro dans l'annuaire	*to look up a number in the phone book / in a directory*
une inscription dans l'annuaire	*a phone book entry*
noms inscrits par ordre alphabétique	*names are listed alphabetically*
inscription par nom de famille ou raison sociale	*listed by surname or business name*
inscription par l'initiale du prénom	*listed by the initial letter of the forename*
4. la procédure d'appel	**4. making a call**
faire un appel	*to make a call / to place a call*
appeler quelqu'un au téléphone	*to call somebody / to ring somebody up* (GB) / *to give someone a ring* (GB)

A Lexique général
General vocabulary

composer un numéro :	*dial a number :*
faire 8 chiffres en France	*dial 8 digits in France*
chiffres : numéro à 8 chiffres en France	*digits : 8-digit number in France*
les deux premiers chiffres indiquent la zone	*the first two digits are for the area code*
répondre au téléphone	*to answer the phone*
décrocher	*to pick up the receiver / to pick the phone up*
patienter	*to hold on*
utiliser l'automatique	*to get through direct* (GB)
obtenir un correspondant	*to get through to someone*
demander un numéro à l'opérateur / passer par l'opérateur	*to go through the operator*
raccrocher	*to put the receiver down / to hang up*
être coupé	*to be cut off*
rappeler	*to ring back* (GB) / *to call back* (US)
attendre un appel	*to wait for a call*
5. les tonalités	**5. tones**
une tonalité	*dial tone* (US) / dialling tones (GB) / *a beep*
le téléphone sonne	*the phone is ringing*
sonnerie d'occupation	*engaged tone* (GB) / *a busy signal* (US)
le numéro est occupé	*the number / the line is engaged* (GB) / *the line is busy* (US)
bonne/mauvaise liaison	*a good/bad connection*
il y a de la friture sur la ligne	*there is static on the line*
la ligne est encombrée	*the line is saturated*
« Nos lignes sont encombrées ! Nous vous prions de rappeler plus tard ! »	*"Our lines are saturated at the moment ! Please call again !"*
la ligne est en dérangement	*the line is out of order*
le numéro n'est pas en service	*the number is out of service*
il n'y a plus de tonalité !	*the line's dead !*
service d'entretien	*the maintenance service*
faire vérifier une ligne	*to have the line tested*
dérangement/défaillance	*a fault* (GB) / *a problem* (US)

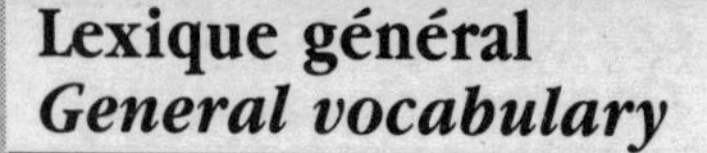

signaler un dérangement / une panne	*to report a fault* (GB) / *a problem* (US)
remettre en service	*to clear a fault* (GB) / *to repair a problem* (US)
6. les types de communications	**6. types of calls**
communications locales	*local calls*
communications longue distance	*long-distance calls*
« appel de personne à personne » (n'existe plus en France)	*person-to-person call* (US) / *personal call* (GB)
communications via l'opérateur	*operator-assisted calls*
communications en PCV	*collect call* (US) / *transfer charge call* (GB)
communications avec carte de crédit	*credit card call*
numéro d'appel gratuit	*toll-free call*
7. Les répondeurs	**7. answering machines**
messages enregistrés	*recorded announcements*
un répondeur-enregistreur	*a telephone answering machine*
répondeur interrogeable à distance	*remote tone phone / remote controlled*
interroger à distance	*to operate from a remote place*
enregistrer un message	*to record a message*
écouter un message / une bande	*to listen to a message / to playback a message / the tape*
effacer un message	*to erase a message*
garder un message	*to save a message*
repositionner la bande	*to reset the tape*
8. la facture de téléphone	**8. a phone bill**
tarifs des communications	*telephone call charges*
coût des communications	*cost of calls*
les tarifs sont applicables aux appels pour...	*rates apply on calls to...*
tarifs : - réduit	*rates : - cheap rate* (GB)
	- reduced rate (US)
- économique	*- economy rate*
- rouge	*- peak rate*
- normal	*- standard rate*
zone de tarification	*charge band (of a country)*

B Lexique spécialisé
Specific vocabulary

HÔTEL	**HOTEL**
réserver une chambre	*to reserve a room*
une chambre double	*a double room*
une chambre pour une personne	*a single rooom*
une chambre pour deux	*a room for two*
avec bain	*with bath*
avec douche	*with shower*
avec deux lits à une place	*with twin beds*
avec deux grands lits	*with two double beds*
une chambre calme, sur cour	*a quiet room, off the street*
une suite	*a suite*
prix par nuit	*price per night*
TTC	*tax included*
HT	*without tax*
tarifs spéciaux	*special rates*
tarifs week-end	*weekend rates*
accepter les cartes de crédit	*to accept credit cards*
le prix comprend le petit déjeuner	*the price includes breakfast*
petit déjeuner « continental* »	*a continental breakfast*
petit déjeuner complet	*a full breakfast*
s'enregistrer	*to check in*
heure d'arrivée	*check-in time*
heure d'arrivée tardive	*late check-in*
retenir la chambre	*to hold the room*
quitter la chambre	*to check out*
heure de départ	*check-out time*

(*) continental = pain ou croissants avec café ou thé.

B Lexique spécialisé *Specific vocabulary*

AVION	**AIRPLANE**
compagnie aérienne	*airline*
transporteur/compagnie	*carrier*
ligne régionale	*commuter carrier*
réserver une place	*to reserve/book a seat*
faire une réservation	*to make a reservation*
annuler une réservation	*to cancel a reservation*
annuler un vol	*to cancel a flight*
sur-réservation	*overbooking*
classe	*class*
classe économique	*economy class / coach class*
classe touriste	*tourist class*
classe affaires	*business class*
première classe	*first class*
passer qqn en classe supérieur	*to upgrade a passenger*
tarifs	*fares*
plein tarif	*full fare*
tarif réduit	*discount fare / reduced fare*
tarif spécial	*special fare*
billet aller et retour	*round trip ticket / return* (GB)
aller simple	*one way ticket / single fare* (GB)
type de vol	*type of flight*
vol intérieur	*domestic flight*
vol international	*international flight*
vol direct	*direct flight*
vol sans escale	*nonstop flight*
correspondance	*connecting flight*
navette (aérienne)	*shuttle*
l'heure du départ	*departure time*
l'heure de départ prévue	*scheduled departure time*
vol tôt le matin	*early-morning flight*
vol en fin d'après-midi	*late-afternoon flight*
vol en début de soirée	*early-evening flight*
vol de nuit	*night flight*

B

Lexique spécialisé
Specific vocabulary

arrivée pour 10 heures	*arriving by 10:00*
s'enregistrer	*to check in*
comptoir d'enregistrement	*check-in counter*
heure d'enregistrement	*check-in time*
heure limite d'enregistrement	*latest check-in time*
carte d'embarquement	*boarding pass*
porte d'embarquement	*boarding gate / loading gate*
bagage	*baggage*
bagages autorisés (poids)	*baggage allowance*
bagages en cabine	*carry-on bag*
bagage à main	*hand luggage*
bagage enregistré	*checked baggage*
étiquetage (extérieur/intérieur)	*identification (outside/inside)*
choisir (votre) place	*to make (your) seat selection*
section fumeurs	*smoking section*
section non-fumeurs	*nonsmoking section*
fenêtre	*window seat*
couloir	*aisle seat*

INFORMATIONS MÉTÉO	**WEATHER FORECAST**
le pays	*the country*
à l'intérieur du pays	*inland*
sur la côte	*on the coast*
l'ensemble du pays	*the bulk of the country*
beau temps	*fine weather*
une belle journée / un beau week-end	*a warm day / a warm weekend*
beaucoup de soleil	*a lot of sunshine*
une journée sans pluie	*a dry day*
un ciel sans nuages	*nice skies*
journée chaude, sans risque de pluie	*dry and warm all day*
plutôt chaud et humide	*fairly warm and humid*
chaud et humide	*hot and sticky*
lourd et humide	*muggy* (US)

B Lexique spécialisé *Specific vocabulary*

ciel s'éclaircissant par endroits	*sky brightening up in some parts*
zone de hautes pressions	*high pressure zone*
mauvais temps	*bad weather*
zone de basses pressions	*low pressure zone*
le vent est un facteur aggravant de la température	*windchill factor*
nuages	*clouds*
ciel nuageux	*cloudy skies*
des nuages traversant le pays	*clouds drifting across the country*
ciel couvert	*dull sky*
ciel brouillé	*murky sky*
vent(s) (forts)	*(strong) wind(s)*
journée ventée	*windy day*
bourrasques de vent	*gusts of wind*
vents fraîchissant	*winds freshening up*
coup de vent / tempête (bord de mer)	*gale(s)*
bruine, légère pluie	*drizzle*
averse	*shower*
averses soudaines	*showery bursts*
averses éparses	*scattered showers*
chutes de pluie	*rainfalls*
des orages éclateront	*thunderstorms will break out*
brume	*mist*
brouillard	*fog*
des nappes de brouillard épaisses	*patches of dense fog*
brouillard se levant	*fog clearing (away)*
glace, verglas / des plaques de verglas	*ice / icy patches*
pluie verglacée	*sleet*
grêle	*hail*
températures	*temperatures*
degrés Celsius	*degrees Celsius [C° = 5/9(F-32)]*
degrés Farenheit	*degrees Farenheit (F = 32 + 9/5 C°)*

Lexique spécialisé
Specific vocabulary

température maximale de...	*the top temperature will be... / the high for the day will be...*
en ce qui concerne la température	*temperaturewise*
frais	*cool*
froid	*cold*
température agréable	*mild*
chaud	*warm*
très chaud	*hot*
un front froid traversera l'ensemble du pays	*a cold front is going to push its way across (most of the country)*
un autre front froid luttera contre...	*another cold front is going to struggle against...*

LOCATION DE VOITURE	**CAR RENTAL**
louer une voiture	*to rent a car* (US) / *to hire a car* (GB)
permis de conduire	*a driver's license* (US) / *a driving licence* (GB)
type (taille)	*size*
petite voiture	*economy*
taille intermédiaire	*mid-sized*
grande voiture	*full-sized*
classe luxe	*luxury*
« break » / familiale	*station wagon*
type (boîte de vitesse)	*transmission*
automatique	*automatic*
manuelle	*manual / standard shift*
prix	*price*
tarif journalier	*daily rate*
tarif hebdomadaire	*weekly rate*
tarif réduit	*reduced rate*
prix au kilomètre	*mileage charge*
kilométrage illimité	*unlimited mileage*

Lexique spécialisé
Specific vocabulary

tarif pour tout kilomètre supplémentaire	*excess mileage charge*
taxe pour retour à un lieu différent	*drop-off charge*
assurance	*insurance*
contrat d'assurance	*insurance policy*
assurance au tiers	*liability insurance / coverage*
assurance collision	*collision damage*
assurance personnelle	*personal accident insurance*

Index alphabétique
Alphabetical index

L'index est établi à partir du français. Les numéros renvoient aux pages. Les mots anglais sont en gras. Pour retrouver un mot anglais à partir du français, il suffit de relire la page en regard ; un même mot peut avoir plusieurs traductions selon le contexte.

Index alphabétique
Alphabetical index

Index alphabétique
Alphabetical index

Index alphabétique
Alphabetical index

Cet ouvrage été composé par TÉLÉ-COMPO - 61290 BIZOU et achevé d'imprimer en juin 1998 sur les presses de Cox & Wyman Ltd (Angleterre)

POCKET – 12, avenue d'Italie, 75627 Paris cedex 13
Tél: 01.44.16.05.00

Dépôt légal : février 1992
Imprimé en Angleterre